"Le français retrouvé" **4**

Trésors de la politesse française

par
Sylvie Weil

Illustrations de Napo

BELIN

8, rue Férou 75006 Paris

© Librairie Classique Eugène Belin, 1983   ISBN 2-7011-0385-1

Préface

Des centaines de titres et, pour certains d'entre eux, des dizaines de rééditions : depuis quatre siècles, traités, guides et manuels de savoir-vivre fleurissent à un rythme plus soutenu encore que les livres de cuisine. Pourquoi cette avidité du public ? Sans doute parce que la politesse s'apprend, comme un langage. On ne naît pas poli, on le devient. Le propre de l'homme — ce livre nous le montre à travers maints exemples historiques — n'est certes pas de respecter les lois de *la plus élémentaire politesse* ; on a vécu sans elles jusqu'à une époque assez récente et, pendant bien des siècles, même dans les milieux les plus huppés, roter à table, recracher dans le plat ou pisser dans la cheminée furent des façons dont bien peu songeaient à s'offusquer.

La politesse, qui n'est rien d'autre que le respect d'autrui dans les relations sociales, semble bien être une conquête de la Renaissance. Au XVIᵉ siècle, puis surtout au XVIIᵉ, on réfléchit sur ce devoir de respect et on en élabore les règles. Les premiers *trésors de politesse* sont étonnants. Certains nous paraissent bien rustiques, comme ces conseils de ne point saisir les seins des dames que l'on rencontre, ou de ne point battre ses domestiques... en présence d'un visiteur. D'autres sont des joyaux précieux (à tous les sens du terme) : ainsi, pour le courtisan du XVIIᵉ siècle, la formule : *Je vous remercie de l'honneur que vous m'avez fait* eût été d'une brutalité inqualifiable, le vrai respect s'exprimant obligatoirement par une période comme celle-ci : *J'ose réclamer de votre extrême indulgence qu'elle daigne me permettre de vous exprimer, pour la très-excellente façon dont vous m'avez honoré, une reconnaissance qui, pour ce qu'elle est très-sincère et très-immense, ne saurait cependant égaler la grâce insigne de votre faveur.* « Trop poli pour être honnête ! » dirions-nous aujourd'hui devant un tel discours. De fait, la politesse, ici, est dépassée. Il s'agit d'autre chose, qui s'appelle le *savoir-vivre*, les *bonnes manières*, ou les *usages du monde*, et qui est l'observance d'un code généralement compliqué et le plus souvent arbitraire.

Les XVIᵉ, XVIIᵉ et XVIIIᵉ siècles sont ceux des *Civilités*, ouvrages dont le but est soit d'enseigner au courtisan un comportement digne du lieu royal où il est reçu, soit d'apprendre au bon chrétien à se montrer digne de ce nom et à se distinguer des païens et des sauvages. Les plus grands succès de librairie vont à ce dernier genre, et les *Civilités* d'Érasme et de saint Jean-Baptiste de la Salle, qui s'adressent aux chrétiens plutôt qu'aux courtisans, comptent parmi les best-sellers de l'histoire du livre.

Au XIXe siècle, tout change. La Cour a disparu, remplacée par le « grand monde », où des aristocrates devenus vertueux côtoient des bourgeois devenus gentilshommes, et fixent les règles d'un comportement et d'un langage qui permettent de se reconnaître entre soi et de tenir à l'écart ceux qui tentent d'abuser de la mobilité sociale. Ces derniers ne l'entendent pas ainsi. Ce code, ils l'apprendront par cœur. Aux *Civilités* succèdent d'innombrables *Guides du Savoir-vivre, des Usages, des Bons Usages.* Le « grand monde » se défend, raffine ou au contraire tente de déjouer les imitations par des retours imprévus à la simplicité : désormais, c'est une balourdise que de se détourner de la table pour se moucher. Bonnes gens, vous avez enfin compris que *dame* est distingué, *femme* vulgaire, et vous dites : *Comment va votre dame ?* Mais ce n'est pas à vous d'en décider ! *Femme,* au sens d'*épouse,* restera *femme,* et vous ferez figure de... bonnes gens, et rien de plus.

Et aujourd'hui ? Aujourd'hui, dira-t-on, nous sommes entrés dans l'ère de la décontraction. Finies les attitudes guindées et les formules toutes faites. Voire ! Car il est facile de remarquer que les plus décontractés sont ceux qui connaissent le mieux les formules en question et leurs règles d'emploi. Qu'on le veuille ou non, la politesse s'est intégrée à notre langue et en constitue un aspect qu'il est indispensable de connaître. Qu'on écrive à un maire en commençant par *Monsieur,* et non par *Monsieur le Maire,* l'édile n'y verra pas de décontraction, mais la marque d'un dédain affiché.

Ce livre recense et explique les attitudes et les formules qui ont forgé le langage de notre politesse. Il reprend pour cela le découpage que proposent traditionnellement les manuels de savoir-vivre entre les différents domaines de la vie sociale. Il apprend, ou plutôt réapprend ce qu'il faut savoir quand on veut saluer, converser, rendre visite, recevoir à table, écrire, téléphoner, mais aussi cacher ou dire ses sentiments, parler du corps et de ses besoins, parler d'argent, parler d'amour...

Alors, un nouveau manuel de savoir-vivre, un de plus ? Non, pour plusieurs raisons. D'abord parce que ce livre, paraissant dans une collection intitulée *Le Français Retrouvé,* s'attache surtout à l'impact que la politesse et les bonnes manières ont eu sur notre langue et notre littérature.

On n'y trouvera donc pas dans quel ordre il faut placer les verres sur une table d'apparat. En revanche, on y apprendra la manière d'ôter et de tenir son chapeau, parce qu'elle illustre l'expression *coup de chapeau ;* de même on y verra traité le problème du placement des convives à table, puisque c'est la seule façon d'expliquer les termes *places d'honneur, placer au-dessus* ou *au-dessous, haut bout* ou *bas bout* de la table. De plus, Sylvie Weil, en enquêtant sur les manuels du passé, nous rend sensible tout le poids historique des formules et attitudes actuellement en usage. Enfin, elle fait vivre sous nos yeux, dans leur diversité, leur souplesse, leur imprévu parfois, ces règles des bonnes manières dont les manuels ne donnent que des catalogues quelque peu terrorisants. Pour cela, elle a recours aux grands auteurs, témoins inappréciables des usages de leur temps : Saint-Simon, dont la plume acérée nous restitue les splendeurs... et les horreurs du Grand Siècle ; Proust, dont l'œuvre romanesque et la correspondance, exemples d'un savoir-vivre associé aux qualités du cœur et de l'intelligence, valent bien tous les traités de savoir-vivre réunis.

Rien ne sert de connaître les formules et les usages si l'on ignore tout de la tradition dans laquelle ils s'inscrivent. Aussi ce livre entend-il faire du lecteur non pas un simple utilisateur du langage des bonnes manières, mais un véritable connaisseur, capable d'en jouer à sa guise et avec succès, quelqu'un dont on ne dira pas seulement « Il connaît le savoir-vivre », mais « Il sait vivre ».

J. B.

Le salut

Pour saluer dans la rue une personne de qualité : ... *il faut le faire en se courbant humblement, ôtant son gant et portant la main jusqu'à terre ; mais surtout il faut faire ce salut sans précipitation ni embarras, ne se relevant que doucement, de peur que la personne que l'on salue venant aussi à s'incliner, et peut-être par honnêteté à embrasser celui qui le salue, on ne lui donne quelque coup de tête. Que si c'est une dame de haute qualité, il faut par respect ne la pas baiser, si elle-même, par honnêteté, ne tend la joue ; et alors même il faut seulement faire semblant de la baiser et approcher le visage de ses coiffes ; et de quelque façon qu'on la salue, soit qu'on la baise ou non, il faut que toutes les révérences se fassent avec de très profondes inclinations de corps.*

A. de COURTIN, 1671

Mais, cent ans plus tard, c'est la Révolution... on ne salue plus. En 1792, François Hanriot, chef de section des sans-culottes à Paris, déclara qu'il ne saluerait plus personne et qu'il invitait ses concitoyens à ne plus se saluer, *attendu que ce signe d'avilissement vis-à-vis d'un autre peut lui faire croire qu'il n'est pas l'égal de tous et ne convient qu'à des esclaves.*

Cette solution extrême n'a pas été adoptée. La longue histoire du salut se poursuit, avec son code changeant, et exigeant.

Qui salue le premier ?

Et quand tu iras par les rues
Gar que tu soies costumiers
De saluer les genz premiers.

(Et quand tu iras par les rues, pense bien à prendre l'habitude de saluer les gens le premier.)

Ainsi parle Amour, dans le *Roman de la Rose*. Les siècles passent et les choses deviennent de plus en plus subtiles. Au xixᵉ siècle, elles sont on ne peut plus compliquées... Le Monsieur comme il faut attend que la dame rencontrée par hasard dans la rue indique qu'elle veut bien être saluée, car *il n'appartient jamais à l'homme de se croire assez avancé dans l'intimité d'une femme pour se permettre d'aller au-devant d'une marque de sa bienveillance.*

Baronne STAFFE, 1889

Si la dame indique, d'un regard, d'un léger frémisse-ment de la paupière, d'un sourire très discret, qu'elle veut bien être reconnue (on suppose donc qu'il y a certains cas où elle n'y tient pas du tout...), alors le Monsieur s'avance vers elle, chapeau bas.
Au début de notre siècle, les choses commencent à se simplifier :

On a prétendu à tort qu'un homme ne devait pas saluer ni même avoir l'air de reconnaître une femme lorsqu'il la rencontre le matin ; c'est une très grande erreur, la femme peut avoir pour cette sortie matinale des motifs parfaite-ment avouables surtout lorsque sa modestie, sa charité en sont le mobile. Elle passe sereine, allant vers son but et le salut ne peut en rien la froisser. En ne la saluant point, au contraire, on semblerait blâmer sa présence insolite à cette heure dans la rue...

Comtesse de TRAMAR, 1905

Comment aborder ?

Ce sont, affirme Courtin (1671), *des mœurs villageoises que de crier de loin : « Monsieur, ou Madame, votre serviteur, je vous souhaite le Bonjour ! ».*

Un autre manuel, plus récent, spécifie :

On n'appelle pas les amis que l'on rencontre par un « pstt » ou par leur nom. Un petit signe discret, un geste de main suffisent. S'ils sont de l'autre côté de la rue, ne pas se livrer à un moulinet de bras ou de canne pour être aperçu d'eux.

LISELOTTE, 1919

Certes, on ne sifflera ni ne hurlera pour attirer l'attention d'une respectable vieille dame, ou d'un professeur, ou de son chef de bureau qui se trouve passer sur l'autre trottoir. Mais s'il s'agit d'un camarade, pourquoi pas ? De même, on nous recommande de ne jamais demander : « Où allez-vous ? » à la personne que l'on rencontre dans la rue. Mais s'il s'agit d'une amie que l'on a bien envie de suivre à son cours ou que l'on espère convaincre de ne pas s'y rendre, pourquoi se priver, par une discrétion inopportune, de passer avec elle un agréable moment...

Comment être abordé ?

Dans la rue, on ne fait généralement que se saluer et échanger quelques mots. Il n'est donc pas nécessaire de présenter les personnes avec lesquelles on se trouve. Si une personne que l'on croit ne pas connaître vous salue, il est facile de répondre par un sourire aimable et un peu vague. On enviera dans ces cas-là le patricien romain qui ne sortait jamais sans son *nomenclator,* un esclave dont la fonction était de chuchoter à l'oreille de son maître le nom de ceux qui lui adressaient la parole (la politesse exigeait que l'inférieur parlât le premier).

« Comment allez-vous ? »

Voilà une formule qui nous paraît bien anodine et fort civile. En outre, elle semble être l'accompagnement naturel du salut si l'on considère l'étymologie de ce mot. « Salut » vient en effet du latin *salus,* qui signifie « santé » et, par extension, l'action de souhaiter la bonne santé.

Pourtant, au XVIIe siècle, ce genre de question, posée à une « personne supérieure », passait pour un manque de respect :

C'est une incivilité de demander à une personne supérieure comment elle se porte, quand on la salue, à moins qu'elle ne soit malade ou incommodée ; cela n'est permis qu'à l'égard de personnes qui sont d'une condition égale ou inférieure. Si on veut témoigner à quelqu'un à qui on doit beaucoup de respect la joie qu'on a de sa santé, il est à propos, avant que de lui parler, de s'informer de quelque domestique, comment elle se porte, et puis de lui dire, d'une manière honnête : J'ai bien de la joie, Monsieur, que vous soyez en parfaite santé.

Saint Jean-Baptiste de LA SALLE, 1695

La personne ainsi honorée ne dit pas n'importe quoi, elle non plus ; elle doit répondre :

... « Je me porte très bien, par la grâce de Dieu, disposé à vous rendre mes très humbles respects », ou se servir de quelques expressions semblables que l'esprit pourra fournir.

Ibid.

La Baronne Staffe (1889) remarque qu'on entend parfois quelqu'un adresser collectivement, en quelque sorte, la question : « Vos santés sont-elles bonnes ? » Et elle commente :

Voyez comme la phrase est drôle, singulière. Chacun n'a qu'une santé et, en conséquence, il faut dire : votre santé est-elle bonne ? Mais mieux vaudrait s'adresser à chacun particulièrement.

De nos jours, comme à l'époque de la baronne, on peut très bien « demander des nouvelles de sa santé à une personne supérieure à soi », du moment que ce n'est pas la première fois qu'on la voit (cette dernière règle s'applique évidemment aussi aux personnes qui ne vous sont pas supérieures. Pourquoi demanderait-on des nouvelles de sa santé à quelqu'un qu'on ne connaît pas ?). On évitera aussi de poser ce genre de question dans des réunions officielles, professionnelles. Enfin, on ne dira pas : « Comment allez-vous ? Vous allez bien ? »

A la question « Comment allez-vous ? » ou son équivalent plus familier « Comment ça va ? », la réponse sera « (Très) bien, merci, et vous-même ? », sauf dans le cas où l'on ne peut cacher qu'on ne va pas bien du tout (boitement, pansements, aphonie, etc.) ou lorsqu'on tient à répandre le bruit que l'on est en mauvaise santé. Mais en tous les cas, pas de détails : à moins d'être un ami intime, une amie très proche, la personne qui vous pose cette question n'éprouve aucune curiosité sur l'état de votre vésicule biliaire ou la bronchite que vous avez eue l'hiver passé.

« Bonjour messieurs-dames ! »

Cette formule, honnie de tous temps par les puristes qui la disent incorrecte et par les gens « chics » qui la trouvent vulgaire, s'emploie pourtant beaucoup, notamment dans les magasins.

La règle voudrait que l'on dise : « Bonjour Mesdames, bonjour Messieurs », dans cet ordre. Si l'on tient à mentionner les demoiselles, ce qui n'est pas obligatoire, on les nommera entre les dames et les messieurs. De nos jours d'ailleurs, on appelle « Madame » une femme adulte, qu'elle soit mariée ou non. Les célibataires qui tiennent à être appelées « Mademoiselle » le préciseront elles-mêmes. Dans les relations mondaines, on évitera le « Bonjour, Madame (ou Monsieur) Durand » considéré comme particulièrement cordial à la campagne, au marché, dans le commerce et, surtout au masculin, dans les relations professionnelles. En ville, dans le monde, on dira « Bonjour Madame, Bonjour Monsieur », qui ont l'avantage de pouvoir s'appliquer à tout le monde, depuis les voisins de palier, quelle que soit leur situation sociale, jusqu'aux princes du sang (les filles du roi s'appelaient Madame dès la naissance), en passant par le baron, la baronne, la femme du général. C'étaient d'ailleurs, dans l'ancien usage, les formules les plus respectueuses :

GEORGE DANDIN. — *Puisqu'il faut donc parler catégoriquement, je vous dirai, Monsieur de Sotenville, que j'ai lieu de...*

MONSIEUR DE SOTENVILLE. — *Doucement, mon gendre. Apprenez qu'il n'est pas respectueux d'appeler les gens par leur nom, et qu'à ceux qui sont au-dessus de nous il faut dire « Monsieur » tout court.*

GEORGE DANDIN. — *Hé bien ! Monsieur tout court, et non plus Monsieur de Sotenville, j'ai à vous dire que ma femme me donne...*

MONSIEUR DE SOTENVILLE. — *Tout beau ! Apprenez aussi que vous ne devez pas dire « ma femme », quand vous parlez de notre fille.*

GEORGE DANDIN. — *J'enrage. Comment ? ma femme n'est pas ma femme ?*

MADAME DE SOTENVILLE. — *Oui, notre gendre, elle est votre femme, mais il ne vous est pas permis de l'appeler ainsi, et c'est tout ce que vous pourriez faire, si vous aviez épousé une de vos pareilles.*

GEORGE DANDIN (bas à part). — *Ah ! George Dandin, où t'es-tu fourré ?...*

MOLIÈRE, *George Dandin*, 1668

« Bonjour, Monsieur le... »

Jusqu'à la Première Guerre mondiale, les ducs et les duchesses devaient être appelés « Monsieur le Duc », « Madame la Duchesse » et, si l'on doit en croire Proust, ils tenaient beaucoup à cette marque de respect :

Ce curieux effet du hasard que le maître d'hôtel de Mme de Guermantes dît toujours : « Madame la Duchesse » à cette femme qui ne croyait qu'à l'intelligence, ne paraissait pourtant pas la choquer. Jamais elle n'avait pensé à le prier de lui dire « Madame » tout simplement. En poussant la bonne volonté jusqu'à ses extrêmes limites, on eût pu croire que, distraite, elle entendait seulement « Madame » et que l'appendice verbal qui y était ajouté n'était pas perçu. Seulement, si elle faisait la sourde, elle n'était pas muette. Or, chaque fois qu'elle avait une commission à donner à son mari, elle disait au maître d'hôtel : « Vous rappellerez à Monsieur le Duc »...

Le Côté de Guermantes

On entend parfois dire « Bonjour, Monsieur le Professeur », « Vous avez raison, Monsieur l'Inspecteur Général ». Ce déploiement de titres tout au long de la conversation n'est ni indispensable ni élégant. A un médecin, on pourra dire : « Bonjour Docteur », au professeur on dira « Monsieur ». A un général, un homme dira « Mon Général » (sauf s'il n'a plus l'âge d'être son subordonné), une femme dira simplement « Général » (sauf si elle-même est officier). On dit « Mon Colonel » au colonel aussi bien qu'au lieutenant-colonel. Noter qu'une femme colonel est un colonel tandis que la colonelle est la femme du colonel (ce n'est d'ailleurs pas un titre officiel).

Lorsqu'un homme salue un supérieur, il peut employer la formule « Mes respects »..., toujours suivi du titre. Ainsi, « Mes respects, Monsieur le Divisionnaire » est très convenable pour saluer ou prendre

13

congé (mais lourd et obséquieux si on ne se borne pas à l'une de ces deux circonstances).

Dans une réception qui a caractère officiel, et, à plus forte raison, si l'on a à faire un discours devant une personnalité, le simple « Monsieur » ou « Madame » cesse d'être correct. Il faut dire : « Monsieur le Président de la République », « Madame le Ministre », « Monsieur le Recteur », « Monsieur le Préfet »... Un ex-président, un ex-ministre, un ex-recteur ont le droit d'être appelés toute leur vie « Monsieur le Président », « Monsieur le Ministre », etc.

Les ecclésiastiques, aujourd'hui, se soucient peu des formules protocolaires. Mais il est évident qu'appeler un évêque « Monsieur » marque une volonté de ne pas reconnaître son autorité spirituelle. Si l'on n'a pas cette intention, l'appellation « Monseigneur » va de soi. « Monsieur le Curé », « Monsieur l'Abbé » sont corrects adressés à un prêtre dont on sait le titre exact ; sinon, « Monsieur » est convenable, « Mon Père » est plus chaleureux. A une religieuse, on peut dire « Madame » sans grossièreté, mais celles qui portent encore le costume propre à leur état préfèrent souvent l'appellation traditionnelle : « Ma Sœur » ou « Ma Mère ».

La bouche et la joue

THOMAS DIAFOIRUS
(à Monsieur Diafoirus). — *Baiserai-je ?*
MONSIEUR DIAFOIRUS. — *Oui, oui.*
THOMAS DIAFOIRUS (à Angélique).
— *Madame, c'est avec justice que le ciel...*

MOLIÈRE, *Le Malade imaginaire*, 1673

14

Si Thomas Diafoirus était bien élevé, il n'aurait pas besoin de poser la question, car au XVIIᵉ siècle, il est « honnête », pour saluer une dame, de la « baiser » ou de faire semblant (voir p. 7) :

Madame présenta Mademoiselle au roi, qui se prosterna, et que le roi releva et embrassa aussitôt, et tout de suite la présenta à Monseigneur, à Mgr (le duc) et à Mᵐᵉ la duchesse de Bourgogne et à M. le duc de Berry, qui tous la baisèrent...

SAINT-SIMON

A l'origine, « embrasser » signifiait « prendre et serrer dans ses bras ». Le terme a peu à peu remplacé celui de « baiser », qui, lui aussi, changeait de sens...
Cette coutume du XVIIᵉ siècle ne saurait nous surprendre puisqu'aujourd'hui tout le monde s'embrasse. Au café, au bureau, à la plage, les copains, les copines, les collègues... Cet usage ne date pas d'hier : Hérodote raconte que les Perses de rang égal s'embrassaient sur la bouche, les autres sur la joue.
Dans la Bible, on s'embrasse aussi beaucoup, bien que ce soit généralement entre membres d'une même famille et dans des moments de grande émotion (réconciliation, retrouvailles...) :

Esaü courut à sa rencontre et l'embrassa, il se jeta à son cou, le baisa, et ils pleurèrent.

Genèse XXIII, 4

Joseph se jeta sur le visage de son père, pleura sur lui et le baisa.

Genèse L, 1

Donc, en entrant chez des amis, après un joyeux « salut ! » lancé à la ronde, on fera le tour de la pièce en embrassant tout le monde, et si par hasard on plante un baiser sur une joue que l'on ne connaît ni d'Ève ni d'Adam, personne ne songera à s'en formaliser. Signalons tout de même que bien des hommes préfèrent se contenter de serrer la main aux autres hommes.

La main

Cependant, il est des circonstances où l'on usera d'un peu plus de cérémonies, imitant dans ces cas-là les mondains du XIXᵉ siècle qui furent gracieux, réservés et quelque peu guindés. Un homme pourra baiser la main des dames, à commencer par celle de son hôtesse. Il accompagnera le baise-main de la formule : « Mes hommages, Madame ».

Au siècle passé, le baise-main était considéré comme trop sensuel pour être de mise envers les jeunes filles ! Nous sommes moins prudes, mais l'usage n'en demeure pas moins de ne baiser la main qu'aux femmes mariées ou aux demoiselles d'un certain âge. Quant aux femmes célèbres (artistes, écrivains, ministres...) elles sont hors-catégorie, on peut leur baiser la main, quelle que soit leur situation matrimoniale.

Bien sûr, un homme peut présenter ses hommages à une femme sans lui baiser la main. Une femme serrera la main des personnes auxquelles on la présente. Il y a quelques années, dans certains milieux, les très jeunes filles faisaient encore le « knicks » (petite révérence rapide qui consiste à plier un peu les genoux).

A la fin du siècle dernier, les manuels déplorent la disparition du « salut français » et son remplacement par le *handshake* :

L'étranger nous a amené le salut avec poignée de main ; ce n'est malheureusement plus l'antique baise-main de nos aïeux mais le brutal handshake *avec ses grossières allures. Corrigeons-le et, si la dame vous offre sa main, doucement de votre main droite soutenez-la et inclinez un peu plus la tête...*

Et encore :

Ouvrez votre dictionnaire anglais et vous trouverez l'explication du mot shake *: ébranler, secouer, vaciller, trembler. Prend-on donc la main d'une dame pour l'ébranler ou la secouer ?*

DESRAT, 1899

16

Si l'on se serre la main, on prendra garde à ne pas la tendre trop promptement. C'est la femme qui tend d'abord la sienne à l'homme, l'homme le plus âgé à l'homme le plus jeune, la vieille dame à la jeune fille, etc. Il est de bon ton que l'homme retire son gant. S'il porte un chapeau, il l'aura, bien entendu, déjà enlevé et attendra pour le remettre que la dame l'en prie... Louis XIV enlevait le sien pour toutes les femmes :

Jamais il n'a passé devant la moindre coiffe sans soulever son chapeau, je dis aux femmes de chambre, et qu'il connaissait pour telles, comme cela arrivait souvent à Marly. Aux dames, il ôtait son chapeau tout à fait, mais de plus ou moins loin. S'il les abordait il ne se couvrait qu'après les avoir quittées.

SAINT-SIMON

On remarquera qu'un militaire qui salue un homme militairement reste couvert. D'ailleurs, il est contraire au règlement de faire le salut quand on est tête nue. Il peut se découvrir en saluant une femme, mais jamais s'il porte le sabre. Enfin, si par hasard il est casqué, on ne s'attendra pas à ce qu'il se découvre, le règlement le lui interdit.

La tête, les jambes

Au début de ce siècle, l'art d'entrer dans un salon, de saluer la maîtresse de maison était une chose que l'on prenait très au sérieux :

On va droit devant soi, le regard haut dirigé vers [la maîtresse de maison], on s'incline devant elle, on s'informe de sa santé, de celle de son mari...

TRAMAR, 1905

Le même auteur regrette l'élégance des temps passés :

Le salut était large, élégant, majestueux ; il symbolisait l'hommage que l'on déposait aux pieds de celui ou celle que l'on honorait de cette politesse. La vapeur, l'électricité ont changé tout cela. Le salut est sec, rapide, on n'a pas le temps de s'attarder à tout cela...

Georges Desrat donnait, pour saluer, la recette suivante (précisons tout de suite qu'il était le Doyen des professeurs de danse de Paris...) :

Incliner lentement et un peu la tête devant la personne ; lentement aussi se relever et, en reculant légèrement le pied gauche, rester quelques instants immobile. Reculer par quelques pas et s'éloigner sans tourner le dos. Tout homme de bon goût comprendra ce que j'entends par cette théorie, saluer avec respect et plaisir, puis s'éloigner avec regret et révérencieusement..

Cet enseignement n'est pas sans rappeler celui du maître à danser de Monsieur Jourdain :

Si vous voulez la saluer avec beaucoup de respect, il faut faire d'abord une révérence en arrière, puis marcher vers elle avec trois révérences en avant, et à la dernière vous baisser jusqu'à ses genoux.

MOLIÈRE, Le Bourgeois Gentilhomme, 1670

Et l'on risque fort, à suivre ce genre de conseils, de se trouver dans la même situation que le malheureux Monsieur Jourdain :

MONSIEUR JOURDAIN (*après avoir fait deux révérences, se trouvant trop près de Dorimène*). — *Un peu plus loin, Madame.*

DORIMÈNE. — *Comment ?*

MONSIEUR JOURDAIN. — *Un pas, s'il vous plaît.*

DORIMÈNE. — *Quoi donc ?*

MONSIEUR JOURDAIN. — *Reculez un peu pour la troisième.*

L'art de ne point trop saluer

C'était à une matinée donnée par la duchesse de Montmorency pour la reine d'Angleterre ; il y eut une espèce de petit cortège pour aller au buffet, et en tête marchait la souveraine ayant à son bras le duc de Guermantes. J'arrivai à ce moment-là. De sa main libre, le duc me fit au moins à quarante mètres de distance mille signes d'appel et d'amitié, et qui avaient l'air de vouloir dire que je pouvais m'approcher sans crainte, que je ne serais pas mangé tout cru à la place des sandwiches au chester. Mais moi, qui commençais à me perfectionner dans le langage des cours, au lieu de me rapprocher même d'un seul pas, à mes quarante mètres de distance je m'inclinai profondément, mais sans sourire, comme j'aurais fait devant quelqu'un que j'aurais à peine connu, puis continuai mon chemin en sens opposé. J'aurais pu écrire un chef-d'œuvre, les Guermantes m'en eussent moins fait d'honneur que de ce salut. Non seulement il ne passa pas inaperçu aux yeux du duc, qui ce jour-là pourtant eut à répondre à plus de cinq cents personnes, mais à ceux de la duchesse, laquelle, ayant rencontré ma mère, le lui raconta en se gardant bien de lui dire que j'avais eu tort, que j'aurais dû m'approcher. Elle lui dit que son mari avait été émerveillé de mon salut, qu'il était impossible d'y faire tenir plus de choses. On ne cessa de trouver à ce salut toutes les qualités, sans mentionner toutefois celle qui avait paru la plus précieuse, à savoir qu'il avait été discret...

PROUST (1871-1922), *Sodome et Gomorrhe*

Si le comportement du narrateur fut si hautement apprécié, c'est que son intuition lui avait fourni la solution d'un problème délicat : comment saluer X en présence de Y, sans que ce dernier le remarque, en évitant la nécessité d'une présentation dont on présume qu'elle importune Y ? S'il existe entre ces deux personnes une différence de rang social, le code a tout prévu :

Que si en présence de cette personne qualifiée, il en arrivait une autre qui fût notre supérieure mais inférieure à l'autre, il ne faut pas quitter la personne qualifiée, à qui nous faisons la cour, pour aller au nouveau venu, mais il faut faire simplement quelque signe de civilité muette.

COURTIN, 1671

Faute de code, le snobisme peut fort bien dicter une conduite :

Nous croisâmes près de l'église Legrandin qui venait en sens inverse conduisant la même dame à sa voiture. Il passa contre nous, ne s'interrompit pas de parler à sa voisine, et nous fit du coin de son œil bleu un petit signe en quelque sorte intérieur aux paupières et qui, n'intéressant pas les muscles de son visage, put passer parfaitement inaperçu de son interlocutrice ; mais cherchant à compenser par l'intensité du sentiment le champ un peu étroit où il en

circonscrivait l'expression, dans ce coin d'azur qui nous était affecté il fit pétiller tout l'entrain de la bonne grâce qui dépassa l'enjouement, frisa la malice (...) et finalement exalta les assurances d'amitié jusqu'aux protestations de tendresse, jusqu'à la déclaration d'amour, illuminant alors pour nous seuls, d'une langueur secrète et invisible à la châtelaine, une prunelle énamourée dans un visage de glace.

PROUST, *Du côté de chez Swann*

L'art de ne pas saluer du tout

La marquise de Villeparisis veut faire plaisir à ses amis antidreyfusards en ne saluant pas Bloch. Mais, désireuse de se ménager aussi l'amitié de celui-ci, elle ne veut pas l'insulter de façon trop évidente :

Comme Bloch s'approchait d'elle pour lui dire au revoir, enfoncée dans son grand fauteuil, elle parut à demi tirée d'une vague somnolence. Ses regards noyés n'eurent que la lueur faible et charmante d'une perle. Les adieux de Bloch, déplissant à peine dans la figure de la marquise un languissant sourire, ne lui arrachèrent pas une parole, et elle ne lui tendit pas la main. (...)
— Je crois qu'elle dort, dit Bloch à l'archiviste qui, se sentant soutenu par la marquise, prit un air indigné. Adieu, Madame, cria-t-il.
La marquise fit le léger mouvement de lèvres d'une mourante qui voudrait ouvrir la bouche, mais dont le regard ne reconnaît plus. Puis elle se tourna, débordante d'une vie retrouvée, vers le marquis d'Argencourt tandis que Bloch s'éloignait, persuadé qu'elle était « ramollie ».

PROUST, *Le Côté de Guermantes*

Il peut y avoir des situations où l'on désire éviter d'être « poli » suivant le code en cours sans adopter pour autant une attitude ouvertement provocatrice.

Pendant les années trente en Allemagne, un mathématicien se rendait toutes les semaines au séminaire de Mathématiques. Il était pratiquement obligatoire, en entrant dans la salle, de faire le salut hitlérien. Ce professeur s'arrangea pour ne jamais entrer sans être chargé de plusieurs gros paquets de livres qu'il n'avait pas trop de ses deux bras pour soutenir. Or, on ne pouvait prononcer le « Heil, Hitler » sans y joindre le salut du bras tendu. Il s'en trouvait ainsi dispensé.

A la gloire du salut

A l'opposé de tous ces saluts codés, qui sont l'expression d'une hiérarchie sociale, le salut, dans les textes du Moyen Âge, n'apparaît pas comme un simple devoir de politesse ; c'est une véritable obligation morale et même religieuse. Le salut se donne « de par Dieu », comme le rappelle H. Dupin (1931), à qui nous devons les citations suivantes. Il appelle sur la personne saluée les bénédictions divines :

Salut, au nom de Dieu le Glorieux, que nous devons adorer, dit Blancandrin à Charlemagne dans la *Chanson de Roland* (composée vers 1080).

L'échange de formules de salut prend parfois l'allure de réponses liturgiques, même si on y parle aussi de la santé du corps :

Elle le salue et lui dit :
— Bienvenu soit par cent mille fois le roi seigneur ! Béni soit messire Gauvain, son neveu !
— En votre corps et votre esprit, ô belle créature, qu'il y ait joie et très bonne aventure !
Puis il l'embrasse en la serrant et elle aussi tout à pleins bras.

CHRÉTIEN DE TROYES, vers 1175

Et encore :

Que Dieu qui vint au siècle nous chercher, qui tant fut large et pitoyable qu'il nous racheta par son sang et de la gueule du loup nous tira, que Dieu sauve le meilleur duc qui vive !

Et la réponse du duc :

Que Dieu, qui a tout fait à son plaisir, vous sauve, vous et vos gens !

Jean RENART, *Galeran de Bretagne*, XIIIe siècle

C'est peut-être chez Érasme (1530) que s'exprime le mieux ce lien entre le salut et la piété :

Lorsqu'un enfant rencontre sur son chemin quelque personnage respectable par son âge, vénérable par ses fonctions de prêtre, considérable par son rang ou honorable à quelque titre, il doit s'écarter, se découvrir la tête et même fléchir légèrement les genoux. Qu'il n'aille pas se dire : « Que m'importe un inconnu ? Qu'ai-je à faire avec un homme qui ne m'est rien ? » Ce n'est pas à un homme, ce n'est pas à un mérite quelconque que l'on accorde cette marque de respect, c'est à Dieu.

Le chapeau

Quel chapeau ?

Quel chapeau faut-il porter ? La question peut être grave, ainsi qu'en témoigne l'histoire suivante. Saint-Simon la raconte avec un plaisir qui n'est pas dépourvu de cruauté.

Il arriva, sur cette revue, une plaisante aventure au comte de Tessé. Il était colonel général des dragons. M. de Lauzun lui demanda, deux jours auparavant, avec cet air de bonté, de douceur et de simplicité qu'il prenait presque toujours, s'il avait songé à ce qu'il lui fallait pour saluer le Roi à la tête des dragons ; et là-dessus entrèrent en récit du cheval, de l'habit et de l'équipage. Après les louanges : « Mais le chapeau ? lui dit bonnement Lauzun ; je ne vous en entends point parler. — Mais non, répondit l'autre ; je compte d'avoir un bonnet. — Un bonnet ! reprit Lauzun, mais y pensez-vous ? Un bonnet ! cela est bon pour tous les autres ; mais le colonel général avoir un bonnet ! Monsieur le comte, vous n'y pensez pas. — Comment donc ? lui dit Tessé ; qu'aurais-je donc ? »

Là-dessus, Lauzun persuade le malheureux Tessé qu'il doit absolument porter un chapeau gris. Tessé, « dans l'effroi de la sottise où il serait tombé sans cet avis si à propos, se répand en actions de grâces... » Or, le roi a le gris en horreur. Le matin de la revue, il avise le chapeau gris :

Dans la surprise où il en fut, il demanda à Tessé où il [l']avait pris. L'autre, s'applaudissant, répondit qu'il lui était arrivé de Paris. « Et pour quoi faire ? dit le Roi. — Sire, répondit l'autre, c'est que Votre Majesté nous fait l'honneur de nous voir aujourd'hui. — Eh bien ! reprit le Roi, de plus en plus surpris ; que fait cela pour un chapeau gris ? — Sire, dit Tessé, que cette réponse commençait à embarrasser, c'est que le privilège du colonel général est d'avoir ce jour-là un chapeau gris. — Un chapeau gris ! reprit le Roi ; où diable avez-vous pris cela ? — M. de Lauzun, Sire, pour qui vous avez créé la charge, qui me l'a dit. » Et à l'instant, le bon duc à pouffer de rire et s'éclipser. « Lauzun s'est moqué de vous, répondit le Roi un peu vivement ; croyez-moi, envoyez tout à l'heure ce chapeau-là au général des Prémontrés. » Jamais je ne vis homme plus confondu que Tessé : il demeura les yeux baissés et regardant ce chapeau avec une tristesse et une honte qui rendit la scène parfaite.

Comment l'ôter ?

Le chapeau sert à l'homme pour orner sa tête, aussi bien que pour le garantir de plusieurs incommodités ; le porter sur son oreille, le mettre trop fort sur le devant de la tête, comme si on voulait cacher son visage, le porter sur le derrière de la tête, en sorte qu'il tombe sur les épaules, sont toutes des manières ridicules et indécentes ; mais en relever le bord sur le devant aussi haut que la forme, c'est une affectation de fierté qui n'est pas supportable. Lorsqu'on salue quelqu'un, il faut prendre son chapeau avec la main droite, et l'ôter entièrement de dessus sa tête, et d'une manière qui soit honnête, en étendant le bras jusques en bas, et en tenant le chapeau par le bord et le côté qui doit couvrir la tête tourné en dehors. Si on ôte son chapeau dans les rues ou en passant devant quelque personne pour la saluer, on doit le faire un peu avant que d'être auprès d'elle et ne pas se recouvrir qu'on ne soit un peu éloigné de cette personne. Si on salue quelqu'un en l'abordant, il faut ôter son chapeau cinq ou six pas avant que d'en approcher ; et lorsqu'on entre dans une place où il y a une personne de qualité, ou à qui on doit beaucoup de respect, il faut toujours ôter son chapeau avant que d'entrer dans cette place, si ceux qui sont dans la place sont debout et découverts, on est obligé de se tenir dans la même posture ; après avoir ôté son chapeau avec bien de l'honnêteté, il faut tourner le dedans vers soi, et le mettre sous le bras gauche, ou devant soi sur l'estomac du côté gauche ; lorsqu'étant assis, on est obligé d'avoir le chapeau bas, il est de la bienséance de le tenir sur ses genoux, le dedans tourné vers soi, et la main gauche ou dessus ou dessous. C'est une grande incivilité, lorsqu'on parle à quelqu'un, de tourner son chapeau, de gratter dessus avec les doigts, de battre le tambour dessus, de toucher la laisse ou le cordon, de regarder dedans ou tout autour, de le mettre devant son visage, ou sur sa bouche, en sorte qu'on ne puisse pas être entendu en parlant ; c'est quelque chose de bien plus vilain de mordre les bords, lorsqu'on le tient devant sa bouche.

LA SALLE, 1695

Toutes ces recommandations prennent encore plus de saveur quand on pense au monument empanaché qu'était le chapeau à cette époque.

Le couvre-chef ne fait pas que garantir du froid ou du soleil, ainsi que des courants d'air, calamité des anciens châteaux, il ne se contente pas non plus de jouer un rôle décoratif. Il est aussi l'instrument grâce auquel on manifeste son respect. Aussi, à la table de Louis XIV aux armées, tous étaient-ils couverts, sauf le roi :

A ces repas tout le monde était couvert ; c'eût été un manque de respect dont on vous aurait averti sur-le-champ de n'avoir pas son chapeau sur sa tête. Monseigneur même l'avait ; le roi seul était découvert. On se découvrait quand le roi vous parlait, ou pour parler à lui, et on se contentait de mettre la main au chapeau pour ceux qui venaient faire leur cour le repas commencé, et qui étaient de qualité à avoir pu se mettre à table. On se découvrait aussi pour parler à Monseigneur et à Monsieur, ou quand ils vous parlaient. S'il y avait des princes du sang, on mettait seulement la main au chapeau pour leur parler ou s'ils vous parlaient.

SAINT-SIMON

Où le poser ?

Au XIXᵉ siècle, le chapeau d'homme continue à jouer un rôle symbolique presque aussi important que celui qu'il jouait à la cour de Versailles, bien que les modalités en soient un peu différentes.

Pour saluer un supérieur ou une femme, un homme doit se découvrir. Il se découvre pour demander son chemin à une femme, pour parler à une vendeuse. S'il rencontre une femme dans un escalier, il *s'efface le long de la muraille pour la laisser passer et se découvre en même temps. On en agit ainsi pour n'importe quelle jupe...* (Staffe, 1889). Un homme bien élevé ôte également son chapeau pour entrer *dans un lieu public, voiture, wagon, salle d'attente.* (ibid.)

En visite, dans les salons, le chapeau joue encore son rôle, qu'il soit dans la main de son propriétaire, à terre ou au vestiaire...

Pendant toute la durée de la visite qu'il fait dans un salon, un homme tient son chapeau à la main, sans l'abandonner une minute... Il s'arrange pour ne jamais présenter à la vue des autres que l'extérieur de ce couvre-chef. En montrer la coiffe est ridicule. Il y a des hommes qui saluent en tenant leur chapeau à la main, de la même façon qu'un pauvre tendant sa coiffure pour recevoir l'aumône. Cela paraît, cela est effectivement grotesque...

STAFFE, ibid.

Mais ces messieurs prennent parfois des libertés :

... c'est une nouvelle habitude qu'ont ces messieurs de poser leurs chapeaux à terre, expliqua Mᵐᵉ de Villeparisis, je suis comme vous, je ne m'y habitue pas. Mais j'aime mieux cela que mon neveu Robert qui laisse toujours le sien dans l'antichambre. Je lui dis, quand je le vois entrer ainsi, qu'il a l'air de l'horloger et je lui demande s'il vient remonter les pendules.

PROUST, Le Côté de Guermantes

Le seul homme qui, dans un salon, n'a pas à la main son chapeau (outre l'horloger, bien sûr...), c'est le maître de maison. Cette règle absolue donne lieu à toutes sortes de subtilités. Ainsi, quand on reçoit le roi, on tient son chapeau, ainsi que l'explique encore Mme de Villeparisis :

Je n'ai jamais vu mon père avoir son chapeau chez lui, excepté, bien entendu, quand le roi venait, puisque le roi étant partout chez lui, le maître de la maison n'est plus qu'un visiteur dans son propre salon.

Ibid.

De même, Monsieur de Norpois, afin de ne pas afficher sa liaison avec Mme de Villeparisis, qui fait de lui, en quelque sorte, le maître de la maison *...pour faire croire qu'il arrivait du dehors et n'avait pas encore vu la maîtresse de maison, prit au hasard dans l'anti-chambre un chapeau que je crus reconnaître...*

« Couvrez-vous, je vous prie ! »

On peut encore utiliser ces mots pour inviter un interlocuteur courtois à remettre son chapeau sur sa tête. Variante possible : « Je vous en prie, restez couvert ! » Ces formules, moins énigmatiques que le « Mettez, Monsieur ! » du XVIIe siècle, sont toutefois bien désuètes.

Aujourd'hui, peu d'hommes portent des chapeaux, se privant ainsi de donner à leur salut les nuances exquises qu'il avait jadis ; quant à ceux qui en portent, ils ont tendance à le garder sur la tête dans les lieux publics. Cependant, un homme se découvre toujours en entrant dans un salon (depuis 1920 à peu près, on laisse toujours le chapeau dans l'antichambre...). Il est aussi découvert pour se mettre à table, que ce soit chez lui, « en ville », ou au restaurant. Sans doute a-t-on fini par trouver fatigants et incommodes les rituels des siècles précédents et l'on a pensé qu'il serait plus simple de marquer son respect une fois pour toutes en laissant son chapeau au vestiaire.

La tradition chrétienne veut qu'un homme se découvre afin de mieux marquer son respect pour Dieu. C'est pourquoi dans une église catholique, dans un temple protestant, un homme enlève toujours son chapeau. Au contraire, une ancienne tradition juive interdit à un homme de se montrer tête nue devant Dieu. Les hommes restent donc couverts dans une synagogue.

« Une femme en cheveux »

Ainsi désignait-on, il n'y a pas si longtemps, une femme qui sortait nu-tête et cela la classait immédiatement et sans appel : ce n'était pas une « personne comme il faut ».

Au lendemain de la Première Guerre, une femme qui avait des prétentions à l'élégance ne serait jamais allée faire la moindre course sans mettre un chapeau. Peu à peu, le chapeau a été abandonné pour les courses du matin, mais il est longtemps resté indispensable pour la sortie d'après-midi. En 1930, le chapeau est de rigueur à un déjeuner, dans un restaurant, dans un salon de thé ou un « thé dansant ». On l'enlève quand on dîne en ville, quand on est en toilette de bal.

Aujourd'hui, le chapeau n'est quasiment plus jamais obligatoire. On en voit de fort jolis dans des cocktails, à des mariages. Beaucoup de femmes continuent à se couvrir la tête pour entrer dans une église, un temple, respectant ainsi l'ancienne tradition.

On évite, pour des raisons évidentes, de porter un grand chapeau au théâtre, au cinéma et même au concert...

Les visites

Un laquais entra, qui nous annonça deux dames que je ne connaissais pas... Elles venaient rendre elles-mêmes une de ces visites indifférentes, qui, entre femmes, n'aboutissent qu'à se voir une demi-heure, qu'à se dire quelques bagatelles ennuyeuses, et qu'à se laisser là sans se soucier les unes des autres.

MARIVAUX, *La Vie de Marianne*, 1731-1741

La princesse avait l'habitude de dire à ses invités, quand elle les rencontrait quelques jours avant une de ses soirées : « Vous viendrez, n'est-ce pas ? » comme si elle avait un grand désir de causer avec eux. Mais comme, au contraire, elle n'avait à leur parler de rien, dès qu'ils arrivaient devant elle, elle se contentait, sans se lever, d'interrompre un instant sa vaine conversation avec les deux Altesses et l'ambassadrice et de remercier en disant : « C'est gentil d'être venu », non qu'elle trouvât que l'invité eût fait preuve de gentillesse en venant, mais pour accroître encore la sienne.

PROUST, *Le Côté de Guermantes*

Le temps des visites

Si les visites formaient depuis le XVII⁰ siècle la trame même de la vie mondaine, c'est au XIX⁰ siècle qu'elles se sont vues répertoriées avec une minutie qui nous surprend mais qui devait être rassurante dans une société soucieuse de ne rien laisser au hasard. Strictement réglementées, les visites étaient faites et rendues à intervalles précis (ces intervalles n'étant d'ailleurs pas les mêmes pour les différentes sortes de visites), à des heures précises, et leur durée était, elle aussi, déterminée.

Voici la liste des visites que l'on considère comme obligatoires vers la fin du siècle dernier :

VISITES DE CÉRÉMONIE : *celles que se doivent entre eux, — et leurs femmes entre elles —, les officiers d'un même régiment, les magistrats d'un même tribunal ; les fonctionnaires d'un même ministère, etc. Elles sont obligatoires au nouvel an, à l'arrivée, au départ. (...) En restant un quart d'heure, on fera preuve d'un parfait savoir-vivre. (...) Les visites de cérémonie sont rigoureusement rendues dans les huit jours.*

STAFFE, 1889

VISITES DE CONVENANCES. *C'est aller voir les gens tous les deux ou trois mois, à leur jour. Ces visites doivent être rendues avec exactitude.*

Ibid.

VISITES DE DIGESTION. *Les visites de digestion ont lieu dans les huit jours qui suivent un dîner ou un bal auquel on a été invité, et alors même qu'on n'y a pas assisté. Cette visite n'est pas rendue par les amphitryons à qui on la devait.*

Ibid.

Dans cette visite on doit louer le dîner et dire des choses aimables sur les convives avec lesquels on s'est rencontré.

Comtesse de BASSANVILLE, 1867

VISITES DE NOCES. *Les nouveaux mariés font aussi une visite à tous les gens de leur monde qui ont assisté à la bénédiction nuptiale ou qui se sont excusés de ne pouvoir y paraître. S'il se trouve, dans le nombre, des célibataires masculins, le mari seul leur doit cette visite.*

STAFFE, 1889

VISITES DE CONDOLÉANCES. *On aborde en silence la personne à laquelle on va faire une visite de condoléances.*

Si c'est un homme, les hommes l'embrassent et les femmes lui serrent la main. Si c'est une femme, les hommes lui serrent la main et les femmes l'embrassent.

BASSANVILLE, 1867

Quant à la personne qui reçoit, elle *contient son chagrin et sa tristesse.*

STAFFE, 1889

VISITE À UNE ACCOUCHÉE : *La robe de la mère est à la couleur de l'enfant (bleue pour un garçon, rose pour une fille).*

Ibid.

VISITES DE CONGÉ ET DE RETOUR. *Lorsqu'on part en voyage, on fait une tournée de visites chez toutes ses connaissances.*

Ibid.

Même manœuvre au retour.

VISITES D'ARRIVÉE. Si les personnes que l'on va voir ne rendent pas la visite :

Vous ne manifesterez aucun ressentiment car la sympathie ne se commande pas, mais vous ne retournerez dans ces maisons sous aucun prétexte.

Ibid.

Voici ce que doit dire le nouvel arrivant :

Je viens de m'installer dans votre ville — ou votre village — (on désigne la maison que l'on habite) et j'ai pris la liberté de frapper à votre porte, ayant un grand désir de vous connaître... Au cours de la conversation, on tâche de donner sur soi des renseignements qui peuvent inspirer confiance...

Ibid.

VISITES INTIMES : ... *échappent aux règles.*

Ibid.

Toutes ces visites se faisaient l'après-midi, dans une toilette appropriée :

Un homme en gants couleur beurre frais et une femme coiffée en cheveux seraient tous deux ridicules, dit la comtesse de Bassanville.

Quant à la maîtresse de maison, sa toilette, *d'une extrême fraîcheur, doit être combinée de façon à ne pouvoir écraser celle d'aucune des femmes qui se présentent.*

STAFFE, 1889

De nos jours, le cérémonial des visites officielles a peu changé. Dans les milieux administratifs et diplomatiques, les visites d'arrivée et de départ se pratiquent encore couramment. Dans l'armée, elles sont prévues par le protocole et minutieusement réglées, comme en témoignent ces instructions citées par Jacques Gandouin (1972) :

Les visites officielles individuelles

Règles générales

1. Les visites individuelles prévues par la présente instruction et par les décrets et arrêtés relatifs aux cérémonies publiques, préséances et honneurs, sont dénommées « visites officielles ».
Elles sont obligatoires. L'autorité militaire qui est appelée à les recevoir ne peut s'en dispenser.

2. Les visites officielles individuelles sont faites dans la tenue fixée par les dispositions particulières à chacune des armées. Toutefois, quand une troupe est en déplacement, les visites peuvent être effectuées dans la tenue prévue pour ce déplacement.

3. Dans le cas où les visites doivent être rendues, les officiers généraux et le commandant d'armes le font en personne lorsque la visite leur a été faite par un officier

*général ; pour les autres visites officielles, ils ont la faculté
de déléguer un des officiers ou assimilés placés sous leurs
ordres directs, pourvu que cet officier ou assimilé soit lui-
même d'un grade au moins égal à celui de l'officier qui a
fait la première visite.*
*Tous les autres officiers rendent en personne les visites
officielles qu'ils ont reçues.*

Les visites « dans le monde » ont peu changé, elles
aussi. On en fait cependant de moins en moins. Les
visites que se rendent entre eux amis et parents sont
gouvernées par l'affection plutôt que par le protocole.
Quant aux tournées périodiques de visites à des gens
que l'on connaît à peine, elles ne se font plus.

Le « jour »

*En général, toute maîtresse de maison prend un jour de la
semaine pour « recevoir ». C'est une excellente habitude,
pour les visiteurs aussi bien que pour les visités.*

STAFFE, 1889

Il y avait déjà bien longtemps que les femmes qui se
piquaient d'être du beau monde avaient un « jour ».
Une des premières fut Madeleine de Scudéry, vers
1650.

*On observe maintenant pour la commodité du public, cette
manière de rendez-vous, nous dit l'abbé de Pure (1656).
Un jour est pris par l'une, et l'autre par l'autre ; de sorte
que quiconque veut avoir une conversation, ou la rencontre
d'une dame, n'a plus besoin de confident, ni de poulet,
pour convenir du rendez-vous pour soulager sa peine. Il
n'y a qu'à savoir un certain calendrier de ruelle, et la liste
de celles qui y ont séance, et sans se servir que de prétextes*

publics, *aller rejoindre au gré de ses désirs les personnes
chéries. Cette invention fut l'ouvrage d'une nymphe du
siècle, qui par le succès de son dessein, donna grand
progrès à cette mode.*

La précieuse recevait dans sa chambre, elle-même se
tenait sur son lit. C'est ce qui s'appelait « tenir ruelle »,
car les invités étaient assis sur des sièges placés dans la
ruelle entre le lit et le mur. La chambre était souvent
tenue dans une demi-obscurité.
Au XIXe siècle, pas de ça !
*On ne doit jamais recevoir dans sa chambre à coucher, au
jour choisi pour ses réceptions,* nous dit la comtesse de
Bassanville ; et encore : *Les personnes qui n'ont pas de
salon ne doivent pas prendre un jour, ce serait se donner un
ridicule.*

L'entrée dans un salon :

*Le duc s'avançait avec une lenteur émerveillée et prudente
comme si, intimidé par une si brillante assemblée, il eût
craint de marcher sur les robes et de déranger les
conversations. Un sourire permanent de bon roi Yvetot
légèrement pompette, une main à demi dépliée flottant,
comme l'aileron d'un requin, à côté de sa poitrine, et qu'il
laissait presser indistinctement par ses vieux amis et par les
inconnus qu'on lui présentait, lui permettaient, sans avoir
à faire un seul geste ni à interrompre sa tournée débon-
naire, fainéante et royale, de satisfaire à l'empressement de
tous, en murmurant seulement : « Bonsoir, mon bon,
bonsoir, mon cher ami, charmé, Monsieur Bloch, bonsoir,
Argencourt »...*

PROUST, *Le Côté de Guermantes*

Si le cérémonial qui préside à ces visites d'après-midi nous semble un peu compliqué, peut-être est-ce surtout à cause de la minutie avec laquelle certains manuels le décrivent. On peut y voir comme la chorégraphie détaillée d'un ballet qui, une fois que les danseurs l'ont appris, ne présente aucune difficulté.

En entrant, on serre la main à la maîtresse de maison. Elle se lève pour recevoir ses invités et, après les premières paroles de bienvenue, s'inquiète de leur trouver une place au milieu de personnes avec lesquelles l'arrivant peut entrer en conversation.

Les messieurs saluent la maîtresse de maison, lui serrent la main en s'inclinant très bas et disent : « Je vous présente mes hommages. » Elle répond : « Merci, monsieur. — Je vous remercie » ou se contente de saluer avec un aimable sourire. (...)

Le monsieur salue de même les personnes qu'il connaît. Il serre la main aux dames, celles-ci ne se lèvent pas pour le saluer.

La formule de salutation varie suivant l'âge, la situation, les habitudes du milieu. On peut dire : « Permettez-moi de vous présenter mes hommages. — Je suis très honoré, madame, de vous rencontrer. — Mes hommages. — Veuillez recevoir mes salutations. — Mes compliments respectueux. »

Lorsque l'invité a salué les dames qu'il connaît, il prend la place que la maîtresse de maison lui désigne ou se tient debout si les sièges sont peu nombreux.

A l'entrée d'une dame, il se lève, alors même qu'il ne la connaît pas, et ne s'assied que lorsqu'elle est assise.

Les dames serrent la main à toutes les personnes de leur connaissance. D'abord, à la maîtresse de maison ; ensuite, à leurs relations communes en faisant le tour du cercle sans s'inquiéter des préséances, à moins qu'il n'y ait dans l'assemblée une personne respectable ou de haut rang à laquelle elles n'iront cependant qu'après avoir salué la maîtresse de maison.

LISELOTTE, 1919

Les présentations

Quand la personne qui rend visite est assise, le maître ou la maîtresse de maison la présentent aux autres visiteurs en s'inclinant légèrement avec un gracieux sourire et en disant : Monsieur ou Madame Un Tel.
Alors tout le monde s'incline en regardant le visiteur, qui s'incline de son côté, et aussitôt le maître ou la maîtresse de maison lui adresse la parole pour faire cesser l'embarras que sa présentation a pu lui causer.

BASSANVILLE, 1867

On imagine toutes ces dames corsetées, chapeautées, assises bien raides sur leurs chaises et inclinant la tête toutes ensemble avec le même petit sourire... Ici encore l'auteur de manuel joue au metteur en scène et il a ses raisons. Il faut une excellente mise en scène, en effet, pour que des gens qui n'ont d'autre lien que le fait d'être « en relations » puissent passer ensemble tant d'heures oisives et y trouver un certain agrément. Cet agrément semble parfois venir du cérémonial lui-même, du mécanisme bien huilé qui permet à toutes ces personnes de se faire des amabilités qui n'engagent à rien.

« Monsieur l'Ambassadeur, dit Mme de Villeparisis, je voudrais vous faire connaître Monsieur. Monsieur Bloch, Monsieur le marquis de Norpois. » (...) M. de Norpois noya son regard bleu dans sa barbe blanche, abaissa profondément sa haute taille comme s'il l'inclinait devant tout ce que lui représentait de notoire et d'imposant le nom de Bloch, murmura « je suis enchanté », tandis que son jeune interlocuteur, ému mais trouvant que le célèbre diplomate allait trop loin, rectifia avec empressement et dit : « Mais pas du tout, au contraire, c'est moi qui suis enchanté ! »

PROUST, *Le Côté de Guermantes*

Aujourd'hui encore, l'un des devoirs de la maîtresse de maison est de faire les présentations. Qui nomme-t-on en premier ? On peut reprendre la formule de Madame Armand de Caillavet, que cite Paul Reboux (1933), et qui a l'avantage de résumer en quelques mots tout le protocole des présentations : *Désigner toujours en premier celui des deux personnages qui, dans la hiérarchie des mérites, n'a droit qu'au numéro deux.*

On présente donc l'homme à la femme, la jeune femme à la vieille dame, hommes et femmes à la personnalité politique ou religieuse. Dans ce dernier cas on ne prononce pas le nom de la personnalité. On dit : « Monsieur le Ministre, Monseigneur ou Éminence, permettez-moi de vous présenter Monsieur ou Madame X. »

Un homme présenté à une femme ou à une haute personnalité peut présenter ses hommages ou ses respects.

Dans une réunion plus simple, on peut se contenter de nommer les personnes présentes les unes après les autres : André, Hélène, Julie et Marcel Renoir, Philippe, etc... On peut dire aussi : « Françoise, je crois que vous connaissez notre ami Jean... » ou « J'aimerais te présenter Bernard X. »

Quand on doit se présenter soi-même, on dit son nom, tout bonnement. On n'ajoute ses titres ou fonctions que s'il s'agit d'une rencontre professionnelle.

Et que dit-on à quelqu'un qu'on vous présente ? « Enchanté ! » est un peu commun, affirment certains. Pour d'autres, c'est une formule passe-partout et insignifiante. On préférera : « Très heureux, très honoré, je suis très heureux (heureuse) de faire votre connaissance, il y a longtemps que je souhaitais vous rencontrer », etc.

Et si quelqu'un se déclare enchanté ou très heureux de faire votre connaissance, il ne faut surtout pas imiter Bloch (voir plus haut) et renchérir, c'est très maladroit !

Il arrive que l'on soit présenté à quelqu'un qui affirme vous connaître alors qu'on pourrait jurer qu'on ne l'a jamais vu. Que faire ? Au siècle dernier, un « homme du monde » à qui une dame demande s'il ne la reconnaît pas, doit répondre :

Par exemple ! il suffit de vous voir une fois pour ne pas vous oublier !

Louise d'ALQ, 1881

De nos jours, la dame penserait, probablement avec raison, que le monsieur se moque d'elle. Nous préférons moins d'emphase : « Mais si, très bien ! » ou « Parfaitement, je me rappelle très bien. » feront mieux l'affaire.

S'asseoir, mais où ?

Une maîtresse de maison assise soit sur un canapé, soit sur une causeuse, ne doit donner qu'à une dame la place qui reste libre auprès d'elle...

BASSANVILLE, 1867

Nous retrouvons ici cette décence bourgeoise qui fut l'obsession du siècle dernier, si différente de l' « honnête galanterie » du XVIIe siècle.

« Donnez-vous la peine de vous asseoir ! » Voilà ce qu'on ne doit pas dire, ni au XIXe siècle (Celnart, 1832) ni aujourd'hui, sous peine de passer pour un maladroit. Mieux vaut de beaucoup le simple « Asseyez-vous » ou, sur un ton plein de sollicitude : « Ne restez pas debout ». Dans les deux cas, on aura soin de désigner le point de chute, par un regard discret ou un signe de la main.

Dans les salons mal chauffés du siècle dernier, on laisse, cela va sans dire (mais tous les manuels le disent), les places voisines du foyer aux personnes importantes ou âgées. Ce sont donc les places d'honneur.

Les personnes jeunes doivent s'arranger pour ne jamais rester assises au-dessus des vieillards. Par au-dessus, nous voulons dire plus près de la cheminée.

STAFFE, 1889

Ainsi les invités forment-ils un gracieux tableau, les vieilles dames près de la cheminée, les autres un peu plus loin. Quant aux hommes,
ils sont souvent debout derrière les sièges, causant avec les femmes en se penchant élégamment sans trop d'abandon.

TRAMAR, 1905

La première guerre vient bouleverser un grand nombre d'habitudes. En 1919, les visites sont devenues une occupation essentiellement féminine et, comme l'oisiveté est passée de mode, ces dames apportent leur ouvrage :

Pour un thé, il convient que les messieurs arrivent un peu tard. Beaucoup se contentent de venir, à la fin de la réunion, chercher leur famille, ou à la sortie de leur bureau.
Ils ne prennent ainsi pas part au goûter. On leur offre un verre de vin fin avec un petit gâteau qu'ils prennent debout sans s'attarder.
Les dames, réunies vers trois heures et demie ou quatre heures, peuvent s'occuper de quelques travaux manuels. Entre quatre heures et demie et cinq heures, on sert le thé.

LISELOTTE

« Vous prendrez bien quelque chose ! »

Peut-être l'excellente habitude d'offrir « quelque chose » à ceux qui viennent nous voir fut-elle d'abord une habitude paysanne, comme le suggère La Salle, qui la désapprouve vigoureusement !

Il est contre la bienséance, et cela sent le paysan, de présenter à boire à ceux qui nous rendent visite, et de les y exciter, si ce n'est lorsque quelqu'un, arrivant de la campagne, a besoin de ce petit soulagement. S'il arrive que quelqu'un nous en présente hors de cette nécessité, nous devons n'en pas prendre et nous en excuser le plus honnêtement qu'il nous sera possible.

J.B. DE LA SALLE, 1695

Au XIXe siècle, c'est une question de vocabulaire, semble-t-il. Le « rafraîchissement » fait provincial :

On ne pratique plus cette franche et bonne hospitalité de province en vertu de laquelle même au fort de l'hiver, on engageait les gens à se rafraîchir avec de très solides comestibles.

E. CELNART, 1832

En revanche, la tasse de thé est très chic. Si chic qu'elle fait souvent partie de la formule d'invitation, et qu'une élégante Parisienne peut très bien faire son entrée chez une amie en disant gracieusement : « Chère amie, je viens vous demander une tasse de thé. » Les visites d'après-midi en viennent effectivement à s'appeler des *thés*; on voit même certaines dames éprises d'exotisme linguistique parler de leur « five o'clock tea », c'est-à-dire de leur « thé de cinq heures » et, non plus de leur « jour ».

Les « thés priés » sont des réunions pour lesquelles les invitations ont été lancées une ou deux semaines à l'avance et qui ont souvent pour but de présenter certaines personnes les unes aux autres. Après la Première Guerre, sous l'influence anglaise, les thés sont de plus en plus à la mode : thés intimes, thés dansants, thés avec bridge... On se donne rendez-vous dans des salons de thé, des maisons de thé... Ces rendez-vous remplaceront de plus en plus les visites.

Savoir partir

Au XVIIᵉ siècle, l'important est de ne pas se laisser surpasser en courtoisie par une personne d'un rang égal ou supérieur. Pour atteindre ce but on ne recule pas devant les manifestations de politesse les plus théâtrales et les plus incommodes ; a-t-on, par exemple, rendu visite à une « personne qualifiée » :

Que si la personne qualifiée nous reconduisait jusqu'à la porte de la rue il ne faut point monter à cheval ni en chaise ni en carrosse en sa présence, mais la prier de rentrer dans sa maison avant que d'y monter ; que si elle s'obstinait, il faut s'en aller à pied et laisser suivre le carrosse, etc. jusqu'à ce que cette personne ne paraisse plus.

COURTIN, 1671

Dans un salon élégant du XIXe siècle, les encombrantes démonstrations d'humilité ne sont plus de mise. Les gens distingués se facilitent mutuellement la tâche par une discrétion de bon goût :

On attend une légère accalmie dans la conversation pour quitter un salon. On en profite alors rapidement pour saluer la maîtresse de maison, s'incliner circulairement et disparaître avec promptitude... qu'on soit reconduit ou non.

STAFFE, 1889

Cette discrétion reste une règle de notre savoir-vivre : on prend congé simplement, sans interrompre la soirée. Rappelons qu'aujourd'hui comme jadis, on reconduit un hôte de marque jusqu'à la porte de l'immeuble.

La carte de visite

*Lorsqu'on vient faire une visite dans une famille et qu'on
ne trouve personne au logis, on laisse sa carte entre les
mains d'un domestique et du concierge ; à défaut de l'un ou
de l'autre, on la glisse sous la porte. Cette carte est
cornée[1] ; la corne signifie qu'on est venu en personne et,
dans ce cas, elle équivaut à une visite, qui doit être rendue
comme si elle avait été reçue.*

STAFFE, 1889

Puisqu'une carte vaut une visite, son usage est soumis
aux mêmes règles. C'est dire qu'au XIXᵉ siècle, une
femme comme il faut utilise ses cartes avec circonspec-
tion !

*Les gens mariés — même âgés — adressent les premiers
leur carte à une femme — même très jeune — qui vit seule.
Celle-ci leur retourne la sienne, puisqu'il y a une femme
dans la maison.*

Ibid.

Pas de carte à un « célibataire du sexe fort » ! Des
femmes peuvent écrire à un homme qui vit seul, mais
elles ne mettent pas les pieds chez lui. Or, une carte
équivaut à une visite. On ne peut s'empêcher de
s'émerveiller devant la puissance du symbole.
Il y a cependant un ou deux cas d'exception : le prêtre
et l'homme très âgé.
*La raison de cette dérogation à l'usage vient de ce qu'on
peut faire une visite à un vieillard sans se compromettre et
que la carte ne représente qu'une visite.*

Ibid.

C'est vers le milieu du XIXᵉ siècle que l'usage du petit
carton appelé aussi « bristol » (d'après le nom du
papier fort et blanc employé pour sa fabrication)
commence à se répandre. Ce carton devient vite
indispensable. Il tisse et resserre le réseau des relations

---

1. C'est-à-dire qu'on en plie un coin.

sociales, il remercie, félicite, sympathise et offre des vœux en lieu et place de la personne dont il porte le nom (gravé, si possible) et dont il est le héraut. Veut-on se créer de nouvelles relations, la carte de visite permet de tâter le terrain, sans s'exposer personnellement à la froideur — toujours possible — des maîtres de maison. La carte représentant une première visite, si la personne chez qui on l'a déposée ne vous en fait pas porter une en retour, on se rend ridicule en insistant. Ainsi la marquise de Cambremer, qui tient à tout prix à pénétrer chez la duchesse de Guermantes. Celle-ci s'en plaint :

Du reste cette attaque de vive force avait été préparée par un tir à distance, selon toutes les règles de l'art. Depuis je ne sais combien de temps j'étais bombardée de ses cartes, j'en trouvais partout, sur tous les meubles, comme des prospectus. J'ignorais le but de cette réclame. On ne voyait chez moi que « Marquis et Marquise de Cambremer » avec une adresse que je ne me rappelle pas et dont je suis d'ailleurs résolue à ne jamais me servir.

PROUST, Le Côté de Guermantes

Les passages suivants, également tirés du *Côté de Guermantes* constituent un véritable cours sur la façon de rédiger une carte de visite et de s'en servir :

Le valet de pied rentra avec la carte de la comtesse Molé, ou plutôt avec ce qu'elle avait laissé comme carte. Alléguant qu'elle n'en avait pas sur elle, elle avait tiré de sa poche une lettre qu'elle avait reçue et, gardant le contenu, avait corné l'enveloppe qui portait le nom : La comtesse Molé.

La duchesse, très mécontente de la liberté qu'a prise la jeune comtesse de *laisser une enveloppe comme carte et de la laisser à dix heures du matin,* décide de lui donner une leçon. Ayant reçu le jour même un paquet de photographies dans une très grande enveloppe que le photographe a mal adressée (*c'est un mufle, car je vois qu'il a écrit*

dessus : « *la duchesse de Germantes* » sans « *Madame* »),
elle a l'idée d'utiliser cette enveloppe pour se venger
spirituellement de la comtesse :

*Vous prendrez l'immense enveloppe des photographies de
M. Swann, dit-elle au domestique, et vous irez la déposer,
cornée de ma part, ce soir à dix heures et demie, chez
Mme la comtesse de Molé.*

En effet, si une enveloppe adressée à une duchesse doit
faire précéder son titre de « Madame », la carte de
visite, elle, ne porte que le titre. D'autre part, on ne
dépose une carte qu'aux heures de visite, c'est-à-dire
dans l'après-midi.

La carte de visite avait à cette époque-là un autre
usage, que la Baronne Staffe (1889) mentionne en
passant, et par une sorte de demi-prétérition :

*Nous ne parlerons pas de l'échange de cartes entre hommes
qui viennent de s'insulter, pas plus que nous n'avons à
parler du duel.*

Cet usage n'était pas négligeable cependant et l'expression « remettre sa carte à quelqu'un » signifiait bien :
provoquer ce quelqu'un en duel. On disait aussi, dans
le même sens, « envoyer un cartel ». Cette dernière
expression est beaucoup plus ancienne (le cartel était
une sorte de petite affiche).

De tout cela, que reste-t-il ? Tout et rien, pourrait-on
dire. Rien, dans la mesure où beaucoup de gens
n'éprouvent plus du tout le besoin d'avoir des cartes de
visite, ou bien les réservent à un usage strictement
professionnel, et qu'il ne reste plus guère de dames qui
passent leurs après-midi à déposer des cartes cornées
les unes chez les autres. Tout, dans la mesure où ceux
qui les utilisent encore le font sensiblement de la même
manière que par le passé.

Dans certains milieux (militaires, diplomatiques,
administratifs, etc.), on dépose chez les personnes avec

qui on sera en relation, dans une ville où l'on arrive, une carte avec la mention P.F.C. (pour faire connaissance). Quand on part, même manœuvre, mais les cartes porteront la mention P.P.C. (pour prendre congé).

On ne corne plus guère les cartes (d'ailleurs les manuels ne sont pas d'accord sur la question du coin à corner, supérieur droit, supérieur gauche ?), mais on les plie souvent.

On peut envoyer une carte de visite avec quelques mots manuscrits dans toutes les occasions où on le faisait jadis : remerciements, félicitations, vœux...

Enfin, les cartes de visite ont à peu près le même aspect que jadis et sont rédigées de la même façon. Leur format varie de temps en temps suivant la mode et les pays. Quelques changements cependant dans les cartes de femmes. Alors qu'il était naguère impensable qu'une femme fasse imprimer son adresse sur sa carte, il est aujourd'hui considéré comme parfaitement normal qu'elle le fasse, surtout si elle exerce une profession. Les femmes non mariées n'ont plus ni à faire précéder leur nom de « Mademoiselle » en toutes lettres ni à attendre d'avoir passé trente ans pour se faire faire des cartes !

Quelques exemples :

Le Général et Madame G.
Le Général Jean B.
Le Docteur et Madame Eric W.
Le Docteur Jacqueline C.
Docteur Eric W.
Madame Georges L.
M. et Mme Ernest P.
Eveline et André W.
M. et Mme de P.

Nicolas S.
Eugénie D.
Comte et Comtesse R.

Jeannine A.
orthophoniste

Joseph K.
ingénieur-chimiste
033-3333   1 bis, rue de V.

La carte se rédige à la troisième personne du singulier,
sans signature :

Armande V.

présente à Madame O. ses meilleurs vœux
pour la nouvelle année.

52

Le langage

Malgré qu'il pleut, on part à Gif, nous deux mon chien.
C'est pour sortir Azor, surtout qu'il est pas bien.

Ces deux vers réunissent un certain nombre de fautes de français très communes. Il faudrait dire, bien sûr : « Malgré la pluie, nous partons pour Gif, mon chien et moi ; je veux promener Azor, d'autant plus qu'il ne va pas bien. »

La liste serait longue des tournures qui, pour être fréquemment employées, n'en sont pas moins condamnées sans appel par ceux qui se flattent d'avoir de l'éducation ; par exemple :

« Comment qu'elle va, votre dame ? » (Comment va votre femme ?)

« Qu'est-ce qu'il fait chaud ! » (Qu'il fait chaud !)

« Faites excuses ! Je m'excuse ! Excuses ! » (Veuillez m'excuser.)

« Au plaisir ! » (Au revoir, à bientôt !)

« On a du monde à manger ce midi. » (Nous avons des invités à déjeuner.)

« Il a demandé après vous. » (Il vous a demandé. Il a demandé où vous étiez.)

Il semble facile de déjouer ces pièges grossiers et de « bien parler ». Pourtant, l'accès au beau langage est bien une affaire sociale, qui classe son monde.

Ainsi, au grand siècle, le parler de Versailles, c'est-à-dire de la Cour, s'opposait à celui de Paris, c'est-à-dire des bourgeois :

On dit toujours à la Cour : on a servi les potages, on est aux potages, et jamais : on a servi les soupes, on est aux soupes, et on y dit toujours : on est au fruit, on a servi le fruit, *et jamais : on est au* dessert, *qui est le terme dont les gens de la Ville s'expriment d'ordinaire en pareil cas ; on pourrait même dire en faveur du mot* dessert *qu'il est plus propre et plus étendu pour signifier le dernier service, parce qu'on y sert autre chose que du fruit,... cependant cela n'empêche pas que le* dessert *ne soit une façon de parler purement bourgeoise et qu'il n'est d'aucun usage à la Cour.*

F. de CALLIÈRES, 1693

Le mot de « goûter », que nous employons couramment, n'était pas non plus considéré comme très élégant par les gens de la Cour :

Cela me fait souvenir, poursuivit le Commandeur, d'une autre façon de parler qui est encore particulière aux Parisiens ; ils vous diront : apportez à goûter *à ces enfants, donnez leur du fruit et des confitures pour leur* goûter, *pour dire : apportez la* collation *à ces enfants, donnez leur du fruit et des confitures pour leur* collation.

Ibid.

En réalité, les manuels sont toujours en retard et, pas plus que Callières n'aurait pu empêcher que même les gens très élégants ne se mettent un jour à dire *dessert* et *goûter,* les manuels d'aujourd'hui n'empêcheront les termes scientifiques, les anglicismes et divers jargons d'envahir la langue de tous les jours. Il faut bien s'incliner devant le fait — horrifiant, peut-être — que dans les milieux les plus fermés, il est permis de dire quelque chose comme : « Voici mes coordonnées, contactez-moi, j'aimerais qu'on dialogue pour essayer de solutionner ce problème de façon à peu près valable. »

Il n'en reste pas moins que dans une société fortement hiérarchisée, les coups de chapeau et les courbettes des inférieurs à leurs supérieurs se retrouveront dans la façon de s'exprimer.

Comment parler à (ou de) son supérieur ?

Quand un inférieur parle d'une action d'un grand à son égard, il ne faut pas qu'il dise crûment : « Monsieur N. me dit cela ; m'envoya à la cour » ; mais par circonlocution : « Monsieur N. me fit l'honneur de me dire cela, de m'envoyer à la cour », etc. Et si c'est à lui-même : « Vous eûtes la bonté, vous me fîtes la grâce de parler pour moi, vous prîtes la peine de... »

COURTIN, 1671

Vous êtes assis en face de votre Chef de Service.
Décontractez-vous, respirez profondément, essuyez la sueur qui ruisselle sur votre visage, maîtrisez les tremblements nerveux qui font s'entrechoquer vos genoux, rappelez-vous qu'il n'est pas nécessaire d'espérer pour entreprendre ni de réussir pour persévérer, exposez votre cas d'une voix intelligible et avec le maximum de concision et de clarté ; sachez trouver les mots qu'il faut pour convaincre, mettez tout en œuvre pour remuer le cœur de pierre de votre Chef de Service, mais tentez de conserver jusqu'au bout un peu de cette dignité et de cette fierté qui font de vous un citoyen conscient de ses devoirs et de ses droits. Ne vous jetez pas aux pieds de votre Chef de Service ; ne lui embrassez pas les genoux.
Dites-lui que vous en avez gros sur le cœur et sur la patate, que vous n'arrivez pas à joindre les deux bouts, que ce n'est pas pour vous que vous venez implorer mais pour votre épouse usée par les ménages, et vos cinq enfants que la maladie guette.

Georges PEREC, 1981

Ces deux recettes, l'une sérieuse, l'autre humoristique nous avertissent que, plus encore que le vêtement ou les gestes, c'est bien souvent le langage qui révèle l'aisance d'une personne et son habileté à faire face à des situations variées.

Veut-on adresser ses remerciements ? Cela ne se fait pas n'importe comment :

Supposons que ce soit, par exemple, un inférieur qui parle
à une personne supérieure qu'il ne connaît point familière-
ment et à qui il doit du respect : « Monsieur, je viens vous
remercier de l'amitié que vous m'avez témoignée en
recommandant mon procès, et vous assurer que si je puis
vous donner aussi des marques de la mienne en quelque
occasion, vous reconnaîtrez que je n'aurai pas été indigne
de votre protection, etc. »

COURTIN, 1671

Le lecteur moderne trouve ce compliment fort bien
tourné et très respectueux ! Il est donc tout surpris
d'apprendre que : *ce compliment est incivil*, parce que
les termes en sont *trop familiers*. Et Courtin de donner
le modèle revu et corrigé :

Pour le rendre civil, il faut que la pensée et les termes soient
plus humbles et dire, par exemple : « Monsieur, vous
m'avez témoigné tant de bontés pendant mon procès, que
j'ose croire que vous ne trouverez pas mauvais que je sois
venu pour avoir l'honneur de vous rendre très humbles
grâces, et vous témoigner ma reconnaissance, et le zèle que
j'ai de mériter l'honneur de votre protection par mon
respect et mon très-humble service, en toutes les occasions
qu'il vous plaira m'honorer de vos commandements. »

Fait-on une visite de condoléances ? On choisira soigneusement ses mots :

Ce compliment à une Dame : « Madame, je prends trop de
part à votre douleur pour ne pas venir mêler mes larmes
avec les vôtres en cette funeste occasion etc. » pourrait se
souffrir d'égal à égal mais d'inférieur à supérieur, il faut
marquer plus de soumission et dire à peu près : « Madame,
l'honneur que vous m'avez toujours fait de me regarder
comme un des serviteurs particuliers de votre maison me
donne la liberté de venir vous témoigner, avec le respect
que je dois, la part que je prends à votre douleur.

COURTIN, *ibid.*

Veut-on questionner une « personne que l'on doit honorer » ?

Par exemple, si vous voulez savoir si cette personne fera la campagne prochaine, de lui dire : « Irez-vous à la guerre, Monsieur ? » cela est choquant parce que cette demande est trop familière ; au lieu que cette façon de parler : « Sans doute, Monsieur, que vous ferez aussi la campagne », n'a rien d'offensant que la curiosité, que l'on excuse quand elle est respectueuse.

COURTIN, ibid.

On évitera, recommande encore Courtin, de dire : *Allez, Venez, Faites ceci* ; on dira : *Vous feriez bien d'aller ; Trouviez-vous pas à propos de venir ; Il faudrait, ce me semble, faire cela.*

Non seulement on ne s'adresse pas en n'importe quels termes à une personne supérieure (c'est-à-dire plus titrée), mais si l'on doit parler d'elle à un tiers, on choisira soigneusement ses expressions. On ira même jusqu'à s'effacer entièrement d'un récit afin de mieux marquer son insignifiance au regard de la gloire de la personne que l'on veut honorer :

Il faut éviter en faisant une histoire avantageuse, non seulement de s'y louer, mais même, si la chose s'est passée en compagnie d'un grand Seigneur, de parler au pluriel, comme « nous allâmes là, nous fîmes cela » ; Il ne faut parler que du grand Seigneur, sans parler de soi, et dire « Monsieur N. y alla, il fit cela, il vit le Roi... »
Courtin avertit aussi qu'il faut que les termes conviennent ensemble, comme « Vous eûtes la bonté de me faire cette grâce », et non pas « ce service », car service, amitié ne conviennent qu'à personnes égales, ou de supérieur à inférieur. « Monseigneur, je vous supplie d'avoir la bonté de me faire ce service » est très incivil.

Ibid.

De nos jours, il est peu de situations où l'on utilise ce genre de formules. Des expressions comme « Quand j'ai eu l'honneur de m'entretenir avec vous... », si elles trouvent encore leur place dans certains types de correspondance, sont devenues très rares dans la conversation courante. Un homme peut dire à une femme ou à un personnage haut placé : « Quand j'ai eu l'honneur de vous rencontrer, de vous voir... ». Une femme dira plutôt : « Lorsque j'ai eu le plaisir de vous voir... », sauf à une dame âgée ou à un personnage vraiment très haut placé. L'expression « avoir l'avantage de », outre qu'elle est désuète, n'a jamais été considérée comme très distinguée :

C'est une façon commerciale de parler, qui est très bonne pour les négociants, dans leurs relations avec les clients, mais que les gens du monde n'admettent pas à leur usage.

STAFFE, 1889

Signalons enfin l'emploi, de plus en plus répandu, de l'expression : « J'ai eu le privilège (de vous parler, de lui parler, de le rencontrer) » ; vraisemblablement traduite de l'anglais, elle se situe à mi-chemin entre « j'ai eu le plaisir » et « j'ai eu l'honneur ».

Comment parler des siens ou des nouvelles de la famille

Pour une femme parlant de son mari, elle peut l'appeler par le nom qu'il a, devant les gens de médiocre qualité, en ajoutant Monsieur, s'il n'est pas lui-même de basse condition. Mais devant des personnes éminentes, il faut dire simplement « mon mari » (...) Une femme doit bien se garder de dire Monsieur tout court en parlant de son mari : c'est une faute pourtant qui est assez ordinaire, et surtout parmi les bourgeois.

COURTIN, 1671

Un autre expert en bonnes manières recommande, lui aussi, l'expression la plus simple. Il se moque des « jeunes Messieurs » de la Cour qui disent « Madame une telle » :

... et il n'y a pas jusqu'aux Bourgeois qui ne les imitent en cela, et qui croiraient se rabaisser s'ils avaient dit « ma femme » une fois en leur vie.
Cependant, dit le Commandeur, c'est la manière dont les maris qui savent vivre doivent nommer leurs femmes, quand ils en parlent en compagnie. (...) Et toutes les fois que j'entends certains maris que je ne suis pas obligé de connaître, ni de savoir s'ils sont mariés, parler de leurs femmes avec cette cérémonie, il me prend envie de leur demander qui est le mari de la Dame dont ils parlent.

F. de CALLIÈRES, 1693

Quant aux mots époux et épouse, qui passent souvent pour plus élégants et plus nobles que ceux de mari et femme, ils étaient considérés comme du « dernier bourgeois » par certains aristocrates du Grand siècle !

Et il y a des Bourgeois et des Bourgeoises, ajouta la Marquise, qui en parlant l'un de l'autre disent mon Époux et mon Épouse, au lieu de dire mon mari et ma femme qui est la bonne manière de se nommer.

Ibid.

Gardons-nous donc de vouloir trop bien faire. Ainsi de ceux qui, croyant atteindre au sommet de la distinction, vous demanderont des nouvelles de « votre dame ». Passe encore pour « votre épouse », légèrement théâtral. Mais « ton épouse » est nettement parodique. On dira donc « votre femme » ou, si l'on s'adresse à un supérieur ou à quelqu'un que l'on connaît peu, « Madame Durand ». Dans ce cas-là, la règle est la même que celle que donnait Courtin (1671) :

Il ne faut pas dire, en parlant à lui de sa femme : « Quel âge », par exemple, « a Madame votre femme ? » mais se servir alors du nom ou de la qualité du mari, pour parler de sa femme : « Quel âge aurait bien Madame la Présidente ? », « Je souhaite que la santé de Madame la Maréchale soit parfaite » ; ou par le surnom : « Je suis fort aise que Madame de Beauséjour soit heureusement accouchée », parlant à Monsieur de Beauséjour son mari.

De même, aujourd'hui, à Madame Durand on demandera des nouvelles de « Monsieur Durand », à moins d'être assez intime avec elle pour lui demander comment va « votre mari » ou « Pierre ».

On ne demandera pas à Monsieur Durand comment va « sa demoiselle », aussi maladroit que « votre dame », mais comment va sa fille, ou encore, si l'on veut être très respectueux, « Comment va Mademoiselle Durand, ou Mademoiselle votre fille ? ». Pour lui demander des nouvelles de son fils, il est bien évident que « Monsieur Durand » ne convient pas. On peut dire « Comment va (Monsieur) votre fils ? ». Si les enfants sont jeunes, « Comment va votre petit Frédéric, votre petite Pauline ? » fera très bien l'affaire, ainsi que « votre petit (grand) garçon », « votre petite (grande) fille ».

Il est frappant de voir combien, sur ce point précis, les règles édictées à la Cour du Roi Soleil se sont maintenues et généralisées. « Mon mari » et « ma femme » sont aujourd'hui, pour désigner son conjoint, les seules expressions irréprochables. Une femme ne dira donc pas « Durand » en parlant de son mari. « Monsieur Durand » ou « Madame Durand » ne valent guère mieux. « Mon époux », « mon épouse » ne se disent qu'en plaisantant, de même que « ma moitié », « ma bourgeoise » et « ma légitime », termes populaires assez anciens.

On constate aussi que, tout comme au Grand Siècle, on ne parle pas des siens de la même façon à ses égaux, à ses « inférieurs » ou à ses « supérieurs ». Tel langage, considéré comme très « cool » dans des cercles jeunes et décontractés, compromettrait gravement la carrière de celui ou celle qui l'emploierait dans son milieu professionnel.

On apprend donc à changer de langage en changeant de milieu. Certains affectent d'utiliser dans un milieu les expressions propres à un autre. Mais ce déplacement connaît des limites très précises.

Une jeune femme qui, parlant de son mari à ses collègues de bureau, le désigne par les termes « mon jules » ou « mon mec » saura très bien, au cocktail annuel de la Société pour laquelle elle travaille, que c'est son mari et non son mec, son jules, son homme ou son bonhomme, qu'elle doit présenter au Directeur. On chercherait en vain, dans les anciens traités, des conseils sur la façon de désigner une compagne ou un compagnon non « légitime ». La question ne se posait pas puisque de telles relations ne pouvaient être

avouées. Elle se pose aujourd'hui et, faute d'un usage bien établi, chacun la résoud à sa façon. Un homme dira volontiers : « Mon amie » ou même « ma femme ». Une femme pourra dire « mon ami » mais « mon mari » ne paraît guère possible.

Dans certains milieux, quand on doit nommer son conjoint en parlant aux employés de maison, on dit « Monsieur », « Madame ». Le récit suivant illustre bien les diverses façons dont les membres d'une famille peuvent se désigner en parlant aux bonnes, et autres employés de maison (c'est une des bonnes qui parle) :

Aline se distinguait nettement des deux aînés. Elle nous disait :

— Est-ce que vous avez vu ma mère, est-ce que mon père est rentré ?

Mais il n'aurait pas fallu qu'elle s'exprime ainsi devant ses parents.

Eva, sa sœur, disait toujours en parlant d'eux :

— Est-ce que vous avez vu Madame, est-ce que Monsieur est rentré ?

Quand les patrons nous parlaient des enfants, ils se contentaient d'utiliser leur prénom :

— Est-ce que vous avez vu Rémy ?

Nous répondions :

— Monsieur Rémy vient de rentrer.

Monsieur et Madame B., eux, disaient toujours « Monsieur Jacques » ou « Monsieur Olivier » en nous parlant de leurs enfants.

Madeleine LAMOUILLE, 1978

Le monsieur et la dame

On recommande aux enfants de dire monsieur *ou* madame *à chaque mot, lorsqu'ils parlent à des étrangers. Mais prenez garde qu'ils n'aillent jusqu'à l'abus. Rien de fatigant comme cette appellation* monsieur *ou* madame *revenant dans la phrase à propos de tout, à tout propos, hors de propos. Les gens du monde sont assez sobres de cette dénomination, c'est-à-dire qu'ils ne s'en servent qu'autant qu'il le faut.*

STAFFE, 1889

Aujourd'hui encore, les enfants bien élevés disent « le monsieur » et « la dame » pour désigner des adultes qu'ils ne connaissent pas ou pas bien.

Je veux pas aller avec le meussieu, je le connais pas le meussieu, je veux pas aller avec le meussieu.

QUENEAU, Zazie dans le métro, 1959

On comprendra mieux tout le respect qu'est supposé secréter le mot « monsieur » en sachant qu'il est composé du possessif « mon » et du nom « sieur », qui vient du latin *senior* : âgé, vénérable.

De même, le mot *dame,* venu du latin *domina* (qui signifie : maîtresse de maison), désigne depuis le Moyen Âge une femme de haute naissance. Au

XIXᵉ siècle et au début du XXᵉ, il désigne aussi une bourgeoise, par opposition aux femmes du peuple et aux domestiques. De nos jours, on emploie en principe ce terme pour désigner toute femme à qui l'on veut montrer un certain respect. Son emploi est parfaitement correct. Mais il est souvent ressenti comme trop enfantin (« Dis bonjour à la dame ») et même un peu ridicule, évoquant non pas une « grande dame », parangon de distinction, mais plutôt une « petite dame » en tailleur, perchée sur de hauts talons et pas moderne du tout. Aussi certains répugnent-ils à l'utiliser. Ils préfèrent le mot *personne* (« allez voir cette personne de ma part »), bien que ce mot soit ambigu quant au sexe de la personne.

Fille ou femme ?

Le mot *fille* a connu des destins divers. Au XVIIᵉ siècle, il signifie une femme non mariée, tout simplement. Au XIXᵉ, au début du XXᵉ, une fille est une fille de mauvaise vie... Aujourd'hui, ce terme n'est plus du tout péjoratif, ce qui rend moins clair pour nous ce passage de la *Tessa* de Giraudoux (1934) :

FLORENCE. — *Et toi, tu sais ce que tu es ? Tu sais ce que sont les filles comme toi ?*

TESSA. — *Vous vous trompez, Florence.*

FLORENCE. — *On les appelle des filles. Tu es une fille, et une sale fille, et rien d'autre...*

Le mot *fille* (remplacé au besoin par des équivalents du genre *nana*) sert entre autres à désigner une personne du sexe féminin pouvant très bien avoir largement dépassé la quarantaine ou même la cinquantaine, mais dont on indique ainsi qu'elle est dans le vent (même si elle porte un tailleur !) : « Madame X ? C'est une fille épatante. »

Mais si l'on veut louer la valeur morale de Madame X, on dira que c'est une « femme bien » (une « dame bien » évoquerait plutôt une dame patronesse). Enfin, veut-on énumérer les qualités de cette même Madame X, on pourra dire que c'est « une femme charmante, une belle femme, une excellente femme d'affaires, une femme d'esprit, une femme à la mode, une maîtresse-femme ». On ne la traitera cependant pas de « bonne femme », elle risquerait de n'être pas très contente. Ce terme, souvent utilisé de façon méprisante est, par provocation, revendiqué par certaines : « Nous, les bonnes femmes... »

Le mot *femme* quand il est employé seul a parfois une nuance péjorative. « Nous sommes allés chez cette femme » sent son enquête policière, la « femme Dupont » son rapport de gendarme. Dans la bouche des bourgeoises du début du siècle, « cette femme », c'est généralement celle que l'on soupçonne d'avoir séduit le fils de famille...

Le tu et le vous

Les hommes sont bien singuliers, ils disent vous et Monsieur à leur père et ils disent tu et mon père à Dieu.
MONTAIGNE, *Essais,* 1571-1592

Depuis cette époque les cours du « tu » et du « vous » n'ont cessé de fluctuer, tantôt s'excluant l'un l'autre, tantôt prêts à se rejoindre. Le tu et le vous donnent à la langue une richesse, une liberté de jeu que ne connaissent pas les langues à forme unique. Le passage de l'un à l'autre définit des modes de relations entre les êtres humains, établit des hiérarchies, permet de doser le respect, de mesurer les distances, de les maintenir ou, au contraire, de les abolir. Peut-être est-ce pour cela que leur usage n'a jamais été strictement codifié.

Au XVIIe siècle, la bienséance exige que l'on vouvoie presque tout le monde :

L'on dit ordinairement vous, sans tutoyer personne, si ce n'était quelque petit enfant et que vous fussiez beaucoup plus âgé et que la coutume même entre les plus courtois et les mieux appris fût de parler ainsi. Les pères toutefois envers leurs enfants, jusqu'à un certain âge, comme en France jusqu'à ce qu'ils soient émancipés, les Maîtres envers leurs petits écoliers, et autres de semblables commandements, semblent, selon l'usage plus commun, pouvoir user du tu, du toi, tout simplement. Et pour les familiers amis, lorsqu'ils conversent ensemble, la coutume porte en certains lieux qu'ils se tutoient plus librement ; les autres, on y est plus réservé et plus civilisé.

COURTIN, 1671

Le vous est donc perçu comme « plus civilisé ». Le « progrès » consistera dès lors à en élargir encore l'usage, qui semblera aller de pair avec l'adoucissement des mœurs et même garantir une certaine décence. Au XVIIe siècle, La Salle (1695) interdit aux maîtres d'école l'usage du tutoiement : *Ne parlant aux enfants qu'avec réserve, sans les tutoyer jamais, ce qui annoncerait trop de familiarité.* De même, rappelle Philippe Ariès (1960), le règlement de Saint-Cyr interdisait aux demoiselles « de se tutoyer et d'avoir des manières contraires à la bienséance ».

Dans les pièces de Molière, les maîtres se vouvoient, mais tutoient souvent leurs serviteurs. Serviteurs et servantes se tutoient et, bien entendu, vouvoient leurs maîtres. Si tutoyer ses serviteurs est une marque de dédain, c'est parfois aussi une marque d'affection. Ainsi le *Va-t-en, ma pauvre enfant,* de Chrysale à Martine, dans *Les Femmes savantes.*

Il était parfaitement logique que la Révolution tentât de supprimer le vous et de le remplacer par un tu général et égalitaire. Ce fut en vain, d'ailleurs, car dès l'Empire le vous avait repris tous ses droits. Et c'est lui qui fut, bien plus que le tu, chargé d'exprimer les progrès des idées d'égalité.

E. Legouvé (1869) remarquait en effet qu'après avoir longtemps tutoyé leurs domestiques et dit vous à leurs enfants, les gens des milieux bourgeois s'étaient mis à tutoyer ceux-ci, tandis qu'ils disaient vous aux domestiques :

On tutoyait ses domestiques par dédain pour eux, on ne tutoyait pas ses enfants par respect pour soi-même ; c'était une manière de les tenir à distance. L'égalité a rapproché nos serviteurs de nous, l'affection nous a rapprochés de nos enfants.

Le vous, en établissant certaines distances, habille en quelque sorte la personne à qui il s'adresse et, par ricochet, celle qui l'utilise. C'est bien le sentiment qui anime la recommandation suivante :

Un ménage distingué évite le tutoiement en public, et même devant les enfants, les serviteurs.

TRAMAR, 1905

Ce « ménage distingué », qui se dit vous en public et (suppose-t-on) tu dans l'intimité, nous paraît un peu surprenant. Pourtant rien n'est plus normal, au XIXe siècle comme aux siècles précédents, que le passage d'une forme à l'autre, entre les mêmes personnes, et c'est ce passage même qui rend les nuances du sentiment qui les unit. On rappellera ici que Bonaparte, ayant reçu de Joséphine une lettre ou elle le vouvoyait cérémonieusement, écrivit une réponse commençant par : *Vous toi-même...* Il n'était pas rare, par exemple, que les parents disent tantôt tu, tantôt vous à leurs enfants :

Comme vous êtes mise ! disait la mère à sa fille qui lui souhaitait le bonjour. Qu'avez-vous ? Vous avez bien mauvais visage aujourd'hui. Allez mettre du rouge : non,

*n'en mettez pas, vous ne sortirez pas aujourd'hui. **Puis se***
tournant vers une visite qui arrivait : « *Comme je l'aime,*
cette enfant ! Viens, baise-moi, ma petite. Mais tu es bien
sale, va te nettoyer les dents... »

GONCOURT, 1862

Au XIXe siècle, où le tu était de plus en plus habituel
envers les enfants, les parents passaient volontiers au
vous quand ils avaient à faire une réprimande. Une
vieille dame racontait que le pire des châtiments, pour
elle, était que sa mère lui dît : « Allez, Mademoiselle,
je ne vous connais plus. » Elle sanglotait alors jusqu'à
ce que sa mère lui dît à nouveau tu, et ce tu était le
signe qu'elle était pardonnée.

Entre un homme et une femme, le passage du vous au
tu, du tu au vous, constitue un jeu amoureux un peu
semblable à celui qui consisterait, pour une femme, à
se cacher et à se découvrir alternativement le visage
avec une écharpe ou un éventail. Ainsi Suzanne et
Figaro, à la veille de leur mariage, quittent un instant
le tu qu'ils se donnent habituellement, et jouent avec le
vous, singeant en cela les façons de parler de leurs
maîtres.

FIGARO. — *C'est que tu n'as pas idée de mon amour.*
SUZANNE (se défripant). — *Quand cesserez-vous, impor-*
tun, de m'en parler du matin au soir ?
FIGARO (mystérieusement). — *Quand je pourrai te le*
prouver du soir jusqu'au matin.
SUZANNE (de loin, les doigts unis sur sa bouche). —
Voilà votre baiser, Monsieur ; je n'ai plus rien à vous.
FIGARO (court après elle). — *Oh ! mais ce n'est pas ainsi*
que vous l'avez reçu...

BEAUMARCHAIS, Le Mariage de Figaro, 1784

Le vous est si bien perçu comme garant d'une certaine
réserve, on dirait presque d'une certaine moralité, que
tous les manuels de savoir-vivre du siècle dernier
rappellent qu'il est de rigueur que les fiancés se

vouvoient (aux siècles précédents la question ne se posait même pas). En 1928, Berthe Bernage va jusqu'à conseiller à des fiancés qui, se connaissant depuis l'enfance, ont l'habitude de se tutoyer, de quitter cette habitude au moins pour le temps des fiançailles... De même, une fois passée la première enfance, cousins et cousines cesseront de se tutoyer, afin d'éviter toute équivoque, quand les jeunes filles auront atteint l'âge de se marier. Les fiancés, les maris risqueraient fort de prendre ombrage en entendant un grand cousin tutoyer l'élue de leur cœur...

Jusqu'à une époque toute récente, on apprenait aux étudiants étrangers à n'utiliser que la forme vous. De cette façon, ils étaient assurés de ne pas commettre d'impairs. De fait, il est parfaitement correct de vouvoyer en toutes circonstances et de laisser aux autres l'initiative du tutoiement.

Dans la vie publique, officielle, le vous est obligatoire. Des avocats, des ministres, des diplomates se vouvoient dans l'exercice de leurs fonctions, même quand ils sont suffisamment liés par ailleurs pour se tutoyer dans le privé. On recommande généralement d'éviter de tutoyer un ancien camarade dont on serait devenu le subordonné, ou du moins d'attendre qu'il prenne l'initiative du tutoiement.

Cependant, depuis quelques années, on assiste à une progression très nette du tu. C'est un tu égalitaire, affectueux, complice, le tu de la camaraderie, de la solidarité. A la télévision, on tutoie les vedettes, interviewers et interviewés se tutoient comme s'ils se connaissaient depuis toujours.

Et pourtant, là encore, l'existence des deux formes permet un certain nombre de nuances. On tutoie une « idole de la chanson » mais on dit vous à une « grande dame du cinéma ».

Dans la famille, le tu s'est généralisé. Les enfants

tutoient leurs parents et souvent même les amis de ceux-ci. Certains couples se vouvoient, mais c'est très rare, et les manuels font remarquer, à juste titre, que cela peut donner lieu à des situations sinon gênantes, du moins surprenantes, quand, par exemple, un ami de la femme lui dit tu alors que son mari la vouvoie. A l'école, nombre d'instituteurs se font tutoyer par leurs élèves, dans un effort pour abolir les relations d'autorité et pour rapprocher les enfants de leurs éducateurs. Il y a quelques années encore, une fillette qui avait sa mère pour institutrice, la vouvoyait en classe, afin de ne pas se distinguer de ses camarades. Aujourd'hui, telle institutrice d'école maternelle s'inquiète parce qu'un de ses élèves, venant d'un milieu où l'on se vouvoie, n'arrive pas à lui dire tu... On notera que depuis La Salle, c'est-à-dire depuis quelque trois siècles, le désir d'améliorer les relations entre maîtres et élèves semble nécessairement amener un changement dans la forme qu'ils emploieront les uns envers les autres. Pour La Salle (voir p. 67), le vouvoiement réciproque devait, en introduisant un certain respect de la part des maîtres envers leurs jeunes élèves, protéger ceux-ci. De nos jours, c'est au tutoiement mutuel que l'on demande un résultat analogue.

Cependant, le tu n'est pas toujours affectueux et rassurant. Il peut, en effet, être signe de colère ou de mépris. Dans un embouteillage, les tu fuseront entre gens qui en d'autres circonstances, se vouvoieraient. Le tu à sens unique, adressé à quelqu'un par qui on s'attend à être vouvoyé en retour, et qui est le tu des anciens maîtres à leurs serviteurs, est, de nos jours, considéré comme très insultant.
A tel point que les commissariats de police se sont vus récemment adresser une circulaire rappelant que l'usage du vouvoiement était de rigueur lors des enquêtes.

Alfred ou Monsieur ?

L'usage de plus en plus répandu du prénom, entre proches et moins proches, nous rend peu sensibles aujourd'hui à des problèmes de langage et de convenance qui, il y a à peine un siècle, semblaient sinon insolubles, du moins difficiles à résoudre.

Ainsi, de nos jours, les enfants d'un premier mariage appelleront très facilement leur beau-père ou leur belle-mère par son prénom. Il n'en a pas toujours été ainsi. Au XVIIᵉ siècle, « Monsieur », « Madame » sont tout indiqués. Au XIXᵉ, c'est moins simple. Après avoir suggéré « dame Marie, dame Louise », pour la belle-mère, la baronne Staffe (1889) en vient au beau-père, pour qui il est encore plus difficile de trouver une « désignation convenable », pour des raisons de décence, semble-t-il.

« Père » leur écorcherait les lèvres. « Monsieur » ne leur semble pas en situation. Donner le prénom serait inconvenant... à cause de la mère. (??) « Mon ami » aurait, à notre humble avis, quelque chose de choquant. Mieux vaudrait forger un titre de parenté : « Oncle, cousin ». Si le beau-père était médecin, s'il avait un grade dans l'armée, on l'interpellerait d'un ton gracieux, enjoué : « Docteur, colonel », ce serait tout à fait poli et de bon goût.

A cette époque-là, d'ailleurs, dans les milieux élégants, le prénom est réservé à l'intimité.

Certains manuels du début du siècle recommandent même au « ménage distingué » de ne pas s'appeler par le prénom en public :

Mieux vaut dire : mon ami, ma chère amie, les étrangers n'ont pas à savoir si l'on s'appelle Alfred, Gustave ou Timoléon, Jeanne, Joséphine ou Sophie.

TRAMAR, 1905

Une affaire de (bon) goût

Le grand monde a son argot et cet argot s'appelle le style.

BALZAC, *Splendeurs et misères des courtisanes*

Si les manuels de jadis mettaient dans la pureté de la langue le critère pour reconnaître les gens bien élevés de ceux qui ne l'étaient pas, c'est qu'on avait à cœur d'être entre soi.

Mais il n'était pas si facile d'être agréé.

Une grande dame donnait ce « signal de vigie », pour se reconnaître entre gens du monde : Quand quelqu'un se sert du mot de bonne société, *il n'est pas de* bonne compagnie.

STAFFE, 1889

On pouvait donc parler de façon correcte et pécher cependant par manque de « goût ». Ce « goût », disons-le, était une qualité presque indéfinissable dont les gens du monde aimaient à dire qu'elle était innée. On en avait ou on n'en avait pas. La Baronne Staffe donne cependant un certain nombre de conseils plaisants qui peuvent n'être pas entièrement inutiles, aujourd'hui encore à ceux qui pèchent par excès de zèle :

Beaucoup de gens chics (le mot est admis) et très grammairiens ont la même répugnance pour l'emploi de l'imparfait du subjonctif, et font tout ce qu'ils peuvent pour ne pas le trouver sous leur plume, en écrivant ; dans leur phrase, en parlant. A la troisième personne du singulier, il est encore possible, mais pour le reste du temps, il vaut mieux s'arranger pour se servir de l'infinitif, beaucoup plus élégant, d'ailleurs. Je connais des personnes très instruites qui, ne pouvant tourner la difficulté, ou ne l'ayant pas prévue à temps, préfèrent pécher contre la grammaire et emploient le présent au lieu de ce maudit imparfait du subjonctif. Ils diront — voire écriront — : « Il faudrait que vous vous décidiez », reculant d'horreur devant « que vous vous décidassiez ». *Le fait est que c'est bien laid et que «* Il faudrait vous décider » *est plus harmonieux dans sa concision et a un air bien moins pédagogique.*

Ibid.

La Baronne condamne également, toujours au nom du « goût », les expressions trop recherchées qui mènent tout droit au ridicule :

Il n'est pas de meilleur goût de se servir d'expressions recherchées, comme « exister » *pour «* vivre »*; «* vous entretenir » *pour «* vous parler »*, etc. On a bien ri, au siècle dernier, d'un anobli de fraîche date, qui disait aristocratiquement (croyait-il du moins) : «* Je veux être décapité » *pour «* être pendu »*, ce qui, au contraire, est une imprécation qui témoignait autrement bien de l'horreur qu'on avait d'un supplice qui n'était pas celui des gentilshommes.*

Ibid.

Les liaisons, enfin. C'est à l'élégance avec laquelle ils se tirent de cette difficulté qu'on reconnaît les gens vraiment « bien élevés » !

Les gens bien élevés, qui sont toujours simples et naturels, évitent l'abus des liaisons en parlant. Trop fréquentes, trop accusées, les liaisons blessent l'oreille et le goût.
Cette phrase : « Vous êtes allés à Fontainebleau ? » *prononcée : «* Vous-z-êtes-z-allés-z-à Fontainebleau ? » *horripilerait les gens du monde, qui disent tout bonnement : «* Vous-z-êtes allés à Fontainebleau ? » *ou peut-être : «* Vous-z-êtes-z-allés à Fontainebleau ? »*, se contentent de faire sonner une ou deux* s *finales, plus souvent une que deux. Vous entendez aussi prononcer : «* Bon à entendre » *:* Bon na entendre. « *J'irai demain à Paris » :* demain na Paris. *Cette façon de parler est prétentieuse et pédante, en ce qu'elle prouve qu'apportant une si profonde attention aux moindres choses que l'on dit, on s'écoute avec complaisance et on cherche à frapper l'esprit des autres.*

Ibid.

Soyons assurés, au bout du compte, que les bonnes manières consistent à parler le langage du milieu où l'on se trouve. Nul doute qu'un certain savoir vivre saura nous dicter quand on doit pour montrer qu'on est décontracté et pas snob (?), lancer un très parisien : « On se téléphone et on bouffe ! » ou demander tout à trac : « Bon, alors, quand est-ce qu'on se voit ? » et dans quel monde, au contraire, il faut être puriste jusqu'à la garde et s'enquérir : « Quand pourrions-nous nous voir ? ».

LA COLLINE S'ACCENTUAIT ET DEVENAIT UNE MONTAGNE... LES GENDARMES, DANS LE RÉTROVISEUR, N'ÉTAIENT PLUS QU'UN POINT MAIS, MALGRÉ LES EFFORTS DU CLAUDE, CE POINT NE DISPARAISSAIT PAS. IL FREINA NET. LA VOITURE FIT UN PANACHE ET RETOMBA JUSTE SUR LA TÊTE DU MALHEUREUX VOLATILE QUI FUT TUÉ NET... DE TEMPS À AUTRE, LUCAS L'OBSERVAIT À LA DÉROBÉE. PAUVRE BOUGRE ! MAIS ON NE POUVAIT PAS S'EMPÊCHER DE L'ADMIRER, QUAND LE HAUT-COMMISSAIRE LUI AVAIT COLLÉ TOUTE L'AFFAIRE SUR LES BRAS, IL LUI EÛT ÉTÉ FACILE DE SE DÉFILER EN FAISANT RESSORTIR QUE LE MAYOR FRANZ ÉTAIT DE FORT... LOIN SON AÎNÉ ET QUE DE TOUTE MANIÈRE, LES EFFECTIFS ENGAGÉS DANS L'OPÉRATION APPARTENAIENT EXCLUSIVEMENT A

La conversation

La conversation de Charles était plate comme un trottoir de rue, et les idées de tout le monde y défilaient, dans leur costume ordinaire, sans exciter d'émotion, de rire ou de rêverie.

FLAUBERT, *Madame Bovary*, 1856

Le difficile art de converser

La conversation est, de tous les exercices mondains, le plus périlleux et celui qui, sans doute, donne lieu aux plus lourdes bévues, aux erreurs les plus condamnables, aux ridicules les plus denses, écrit Jacques Gandouin, 1972.

C'est aussi, en France, l'exercice mondain le plus prisé. Aussi fait-il, depuis plusieurs siècles, l'objet de nombre de prescriptions et enseignements. Au XVIIe siècle, c'est par sa conversation polie, « galante », que se distingue l' « honnête homme ». Chez les précieuses, dans les ruelles[1], des journées entières sont consacrées aux plaisirs d'une conversation qui se doit d'être fine, naturelle, vive, aisée, comme l'est celle de Sapho qui en a fait un art si parfait...

qu'on ne sort jamais de chez elle sans avoir ouï dire mille belles et agréables choses, et qui a, en outre, une adresse dans l'esprit qui la rend maîtresse de celui des autres ; ainsi on peut assurer qu'elle fait presque dire tout ce qu'elle veut aux gens qui sont avec elle, quoiqu'ils ne pensent dire que ce

1. Voir p. 38.

qui leur plaît. Au reste, elle a un esprit d'accommodement admirable et elle parle si également bien des choses sérieuses et des choses galantes et enjouées qu'on ne peut comprendre qu'une même personne puisse avoir des talents si opposés.

Madeleine de SCUDÉRY, *Le Grand Cyrus*, 1649-1653

A la cour, cependant, on en est encore à se dégrossir. Les belles manières ne sont pas innées et nombre de courtisans n'en possèdent même pas les rudiments. L'enseignement de l'art délicat de la conversation commence par une leçon de maintien :

Il ne faut pas, quand on parle, faire de grands gestes des mains : cela sent d'ordinaire les diseurs de rien, qui ne sont pathétiques qu'en mouvements et contorsions de corps. Mais il est ridicule, en parlant à un homme, de lui prendre et tirer ses boutons, ses glands, son baudrier, son manteau, ou de lui donner des coups dans l'estomac. Il s'en fait quelquefois un spectacle des plus divertissants quand celui qui se sent poussé et tiraillé recule et que l'autre, n'apercevant pas son incivilité, le poursuit et le recogne jusqu'à lui faire demander quartier. Il est malséant aussi de faire de certaines grimaces d'habitude, comme de rouler la langue dans sa bouche, de se mordre les lèvres, de s'arracher le poil du nez, de cligner les yeux, de se frotter les mains de joie, de se faire craquer les doigts en se les tirant l'un après l'autre, de se gratter, de hausser les épaules, etc. Il ne faut pas avoir non plus une contenance toute d'une pièce, fière, arrogante et dédaigneuse.

COURTIN, 1671

Converser ou flatter ?

La conversation du courtisan n'a pas pour seul but le plaisir. Ce n'est pas non plus un art « mineur, comme la danse ou le chant », selon la formule de Philippe Ariès (1960). Qui veut « faire sa cour » doit cultiver cet art autant qu'il lui est possible, puisque la plus grande partie du temps se passe en conversations et que, grâce à elles, chacun se crée le réseau de relations indispensables pour réussir à la Cour. Les manuels fourmillent donc de recettes pour acquérir l'art de la conversation. D'abord, le courtisan doit savoir parler comme il faut de la guerre, de la chasse, de l'équitation. Il doit savoir assez d'Histoire pour éviter les erreurs fâcheuses, juste assez de poésie pour enjoliver ses propos :

Je voudrais aussi qu'il eût appris les poètes anciens et modernes, qu'il sût faire des vers en notre langue pourvu que cette étude fût son divertissement et non pas sa passion.

J. de CALLIÈRES, 1661

Enfin, et c'est là le plus important, il doit se montrer parfaitement complaisant envers le souverain.

Il ne suffit d'ailleurs pas de bien parler, il faut aussi et surtout savoir écouter, faire parler l'autre :

Les hommes n'aiment point à vous admirer, ils veulent plaire ; ils cherchent moins à être instruits, et même réjouis, qu'à être goûtés et applaudis ; et le plaisir le plus délicat est de faire celui d'autrui.

La Bruyère, *Les Caractères*, 1689-1696

François de Callières (1717), dont les constatations sont semblables, s'intéresse moins à la morale qu'à l'utilité.

Il faut donc que celui qui veut plaire emploie beaucoup moins sa dextérité à faire connaître les lumières de son esprit qu'à faire paraître celui des autres et à relever avec choix et avec délicatesse les choses qu'ils ont bien faites ou bien dites. Le sacrifice qu'il semble faire en cela de ses intérêts est un détour ingénieux qui lui abrège un long chemin, et qui lui fait faire beaucoup plus de progrès dans leur estime et dans leur amitié que tout ce qu'il pourrait leur dire de plus merveilleux.

Une conversation entre personnes inégales n'est pas affaire facile, surtout pour la moins « qualifiée » d'entre elles, car elle ne doit pas cesser, en conversant, de manifester son respect pour les autres. A la promenade, par exemple, elle fera attention à la façon dont elle est placée par rapport aux personnes avec qui elle parle. On aura ainsi de charmants petits ballets, soigneusement ordonnés :

Que si, par exemple, deux grands Seigneurs faisaient mettre un inférieur au milieu d'eux pour pouvoir mieux écouter quelque récit qu'il aurait à leur faire, il faut à chaque retour d'allée que l'inférieur se tourne du côté du plus qualifié de ces Seigneurs ; que s'ils sont tous deux égaux, il faut qu'il se tourne à un bout d'allée, du côté de l'un, et à l'autre bout du côté de l'autre ; observant de quitter lui-même le milieu[1], quand il aura achevé son récit.

COURTIN, 1671

A qui parlera le dernier ou savoir se taire

Il faut, à en croire La Salle (1695), ne parler et ne répondre qu'à son tour et sans que l'enthousiasme ou même le désir de rendre service fasse oublier les préséances :

[C'est, en effet, une] incivilité de répondre le premier à une personne à qui on doit du respect, lorsqu'elle demande quelque chose en présence d'autres personnes qui sont au-dessus de soi, quand même il ne s'agirait que de choses communes et ordinaires ; par exemple, si elle demandait quelle heure il est, on doit laisser répondre les personnes les plus considérables de la compagnie.

Point de hâte, point trop de fougue et, bien sûr, des coups de chapeau :

Si on se rencontre dans une compagnie où on doive dire son sentiment sur une affaire, il faut attendre à parler que son

---

1. La place d'honneur, si on était trois à se promener, était en effet au milieu.

tour soit venu ; et alors se découvrir en saluant la personne qui préside, et le reste des assistants, et puis dire simplement ce que l'on pense.

Ibid.

Cette modération, cette façon ordonnée de tenir une conversation n'a jamais été facile pour les Français qui, observe F. de Callières (1717), ne brillent ni par leur patience ni par leur courtoisie :

Un Français veut d'ordinaire avoir entendu dès le premier mot tout ce qu'on a dessein de lui dire, ou plutôt il est si occupé et si rempli de ses idées qu'il ne songe qu'à se faire écouter ; cela est aisé à remarquer dans nos conversations ordinaires où nous parlons presque tous à la fois.

On s'abstiendra aussi de couper la parole, même à ceux dont la lenteur et les hésitations transforment la conversation en supplice pour un esprit un peu vif !

C'est une incivilité de couper le discours à une personne sous prétexte de lui soulager la mémoire. Comme si elle disait : « César défit Pompée à la bataille de... de... de... » et que nous ajoutassions « de Pharsale » ; il faut attendre qu'elle nous le demande.

F. de CALLIÈRES, 1692

Les quelques citations qui précèdent donnent une idée de la façon dont on concevait la politesse au XVIIᵉ siècle, en matière de conversation. Sens de la mesure, respect de la hiérarchie sociale (respect qui va, pour un La Salle, de pair avec l'humilité chrétienne), habileté à manier les mots et les idées, patience, courtoisie, un certain talent pour la flatterie, aussi, puisque la notion d'utilité n'est pas étrangère à celle de civilité.

Nul doute cependant que l'on ait pratiqué les « mauvaises manières » au moins autant que les « bonnes ». Il est impossible d'imaginer des conversations où les interlocuteurs parleraient chacun à leur tour, éviteraient de s'interrompre ou de se contredire les uns les autres, se tourneraient toujours du bon côté et répondraient à la question « Quelle heure est-il ? » par ordre hiérarchique...

Parler pour ne rien dire ?

De fait, la réalité fut peut-être plus simple que ce que les manuels nous laisseraient supposer. Ainsi cette conversation entre Louis XIV et Madame de Sévigné. Cette dernière possédait, il est vrai, l'art de s'exprimer fort joliment même quand il s'agissait de ne pas dire grand-chose !

Voici donc comment, lors d'une représentation d'*Esther* que donnaient les pensionnaires de Saint-Cyr, Madame de Sévigné eut l'occasion de « faire sa cour » :

Le Roi vint vers nos places, et après avoir tourné, il s'adressa à moi, et me dit : « Madame, je suis assuré que vous avez été contente. » Moi, sans m'étonner, je répondis : « Sire, je suis charmée ; ce que je sens est au-dessus

des paroles. » Le Roi me dit : « Racine a bien de
l'esprit. » Je lui dis : « Sire, il en a beaucoup ; mais en
vérité ces jeunes personnes en ont beaucoup aussi : elles
entrent dans le vif du sujet comme si elles n'avaient jamais
fait autre chose. » Il me dit : « Ah ! pour cela, il est
vrai. » Et puis Sa Majesté s'en alla, et me laissa l'objet de
l'envie.

Lettre à Mme de Grignan, 21 février 1689

En lisant le récit que Madame de Sévigné fait de cette
conversation, on est frappé par le contraste entre
l'importance que revêt l'événement aux yeux de la
marquise (et de son entourage) et la médiocrité des
propos échangés.

C'est que ce genre de conversation, au XVIIe siècle
comme aujourd'hui, est un rituel, dont la fonction est
essentiellement sociale ; il ne demande, somme toute,
qu'une qualité : savoir manier avec brio l'insignifiance.

Du naturel étudié

Au XIXe siècle, des manuels comme ceux de la Baronne
Staffe prêchent une distinction dont on doit s'efforcer
de donner l'impression qu'elle est innée :

Pensez aux choses jolies, bonnes, belles, élevées, votre
conversation sera agréable, jamais entachée de vulgarité,
et les mots d'une trivialité déplaisante en seront écartés,
sans le moindre effort.

STAFFE, 1906

Cette distinction demande d'ailleurs une discipline de
fer et de tous les instants :

Il n'y a pas de véritable élégance sans naturel et l'on n'est
élégant dans le monde qu'à la condition d'y être le même
que dans la famille, que dans la solitude. Être soi-même
partout, mais un soi-même corrigé, émondé, embelli.

La personne élégante et distinguée sera discrète (qualité parfaitement inconnue deux siècles plus tôt à la cour de Versailles !) et évitera les médisances :

Vous entendez dire : « Madame Une Telle est laide, bête ou commune, » rien ne vous oblige à faire chorus, si convaincu que vous soyez de la vérité de l'assertion. Si vous avez à faire à des gens du monde, on ne vous demandera pas si vous aussi la trouvez telle, mais si on commettait cette inconvenance, pourquoi ne pourriez-vous pas répondre : « Je n'y ai pas réfléchi » ?

Ibid.

Après tout, on peut très bien mettre certains de ces conseils en pratique aujourd'hui. L'élégance n'est-elle pas toujours à la mode, la trivialité toujours déplaisante et déplacée ? Quant aux plaisirs de la médisance, on peut le plus souvent y renoncer sans grande perte.

De l'art de contredire

Dans le souci de ne pas froisser son interlocuteur, on évitera de mettre brutalement en doute ce qu'il dit ; on ne dira pas : *Si ce que vous dites est vrai...* mais *Selon ce que vous dites...* (La Salle, 1695). Aujourd'hui, on dit plutôt : « D'après ce que tu dis », « d'après ce que vous dites », « Selon votre point de vue » ou, d'une manière plus affectée, « Dans votre perspective ».

Si l'on se trouve dans l'obligation de contredire, on le fera avec ménagements. La Salle recommandait les formules suivantes : *Vous me pardonnerez, Monsieur,* et encore : *Je vous demande pardon, Monsieur, si j'ose dire que...* Ces formules varient fort peu et on peut s'en servir aujourd'hui sans paraître ridiculement vieux jeu. Les auteurs ont chacun leurs formules de prédilection, quand il s'agit de donner un démenti :

Mille pardons, mais je croyais...

Je puis me tromper, je me trompe sans doute, mais...

Veuillez excuser mon erreur, mais il me semble...

CELNART, 1832

Permettez-moi de vous demander si vous ne vous trompez pas.

Je croyais que les choses s'étaient passées de cette façon.

Il me semblait que cet événement avait eu lieu à telle époque.

STAFFE, 1889

On ne dira jamais : « Du tout, vous êtes dans l'erreur, vous commettez une grossière erreur », car cela mortifierait un interlocuteur sensible.

Ibid.

De nos jours, les bonnes manières voudraient que l'on évite, au moins dans une conversation de salon, l'abrupt : « Je ne suis pas du tout d'accord avec vous », facilement remplaçable par : « Vous avez peut-être raison, mais il me semble tout de même que... »

Le manuel de Madame Celnart (1832) prévoit tous les cas et indique comment observer une politesse parfaitement diplomatique quand, par exemple, on se trouve face à un interlocuteur qui ment :

Lorsqu'on vous raconte une imposture évidente, l'art d'écouter devient embarrassant car, si vous semblez y ajouter foi, vous passerez pour un sot, et si vous semblez en douter, vous passerez pour malhonnête. Un air froid, une demi-attention, un mot tel que celui-ci : « C'est étonnant », vous tireront honorablement d'affaire; mais lorsque l'aventure racontée est seulement extraordinaire ou douteuse, il convient d'agir autrement. Votre physionomie exprime l'étonnement et vous répondez par une phrase de ce genre : « Si je ne connaissais votre véracité », ou « Si tout autre que vous me racontait cela, j'aurais de la peine à y croire. »

Dans toutes les hypothèses, vous n'interrompez pas.

Il ne faut donc jamais interrompre ? demandera-t-on. C'est à n'y pas tenir ! Eh bien si : on peut parfois interrompre, car enfin la conversation doit être vive ! Tous les manuels le disent, mais peu tentent de définir cette vivacité bien française qu'ils prônent tant :

Dans un dialogue vif, pressé, amical, on peut s'interrompre tour à tour, achever la phrase commencée, enchérir sur l'épithète, cela contribue à la vivacité du discours, mais ne doit pourtant pas être trop répété.

CELNART, *ibid.*

Et si un incident vient interrompre la conversation ?

Vous n'attendrez pas qu'elle (la personne qui vous parlait) reprenne son discours d'elle-même, mais avec un sourire de bienveillance, un geste engageant, vous l'inviterez à poursuivre : « Veuillez continuer, vous disiez donc... »

Ibid.

Les tics de langage

Qui n'a eu un jour un professeur qui ponctuait chacune de ses phrases d'un « n'est-ce pas ? » ou bien d'un « ... c' pas ? ». (Il y a tout à parier, alors, pour que ce soit la seule chose que l'on ait retenue, à tout jamais, de son enseignement.) Qui ne connaît des gens qui commencent une phrase sur deux par « Somme toute... », ou « Écoutez... », « Dites-moi... », qui multiplient les « précisément », les « absolument », les « parfaitement », ou qui, ne pouvant se résoudre à ne prononcer un adjectif qu'une seule fois, déclarent un paysage « ravissant, ravissant, ravissant », un dîner « délicieux, délicieux, délicieux », une robe « adorable, adorable, adorable », et ainsi de suite ?

D'autres prodiguent les « tu vois », les « tu comprends », les « si tu veux », les « bon ! », « quoi », « non ? ». Le but est de se rapprocher de l'interlocuteur et de donner à la conversation un ton intime et personnel. Mais à la longue, on risque d'agacer... et même de ne plus être écouté du tout.

De même, la répétition des « alors », des « et puis » doit être faite à bon escient. Elle donne à un récit une allure enfantine, parfois charmante, mais aussi une lourdeur, une insistance dont la conversation s'accommode bien mal.

D'aucuns prétendent même que ces manies de langage nous trahissent impitoyablement en révélant les traits les moins avouables de notre caractère :

Madame Necker observe ingénieusement que ces termes favoris et souvent répétés dont on sème la conversation, servent pour l'ordinaire d'enseigne à l'humeur des gens.

Ainsi, dit-elle, les menteurs ont pour expression habituelle : « Vous pouvez m'en croire, c'est la vérité », les bavards « en un mot, pour finir », les orgueilleux « sans me vanter »...

CELNART, 1832

On pourrait peut-être ajouter à cette liste ceux dont les « Moi, vous savez, ce que j'en dis... » ponctuent les médisances et les réflexions désobligeantes, ainsi que les habitués de la formule « Moi, je ne me mêle pas de ce qui ne me regarde pas », dont l'indiscrétion est proverbiale. Quant à ceux qui répètent « à mon humble avis », ils tiennent très fort à cet avis et seraient très mécontents qu'on ne lui accorde pas l'attention qu'il mérite.

Pour faire plaisir aux puristes, il faudrait aussi se méfier des expressions à la mode, celles qu'on lance sans cesse, à tort et à travers : « Ras le bol ! Tais-toi ! Arrête ! Tu te rends compte ! Génial ! Pas de problème ! Faut le faire ! Chapeau ! etc. »

Le phénomène n'est pas nouveau, il faut croire :

Il s'est introduit depuis peu, poursuivit le Duc, une autre mauvaise façon de parler, qui a commencé par le plus bas peuple et qui a fait fortune à la Cour, de même que ces Favoris sans mérite qui s'y élevaient autrefois. C'est « il en sait bien long », pour dire que quelqu'un est fin et adroit ; les femmes de la Cour commencent aussi à s'en servir ; et il y a quelques jours que la Comtesse de... parlant en ma présence à Monsieur de... lui dit de ce ton aigre que vous lui connaissez : « Oh, Monsieur, vous en savez bien long » et comme elle est amoureuse de cette nouvelle façon de parler, elle lui répéta plusieurs fois pour toute réponse aux bonnes raisons qu'il lui représentait : « Vous en savez bien long ; vous en savez trop long pour moi » ; ce qui l'ayant impatienté, il lui répondit avec un chagrin qui me réjouit : « Hé Madame, si j'en sais bien long, vous en savez bien large », et il la quitta brusquement après cette réponse.

F. de CALLIÈRES, 1693

Conversations de dames

Les femmes sont, bien sûr, l'objet de recommandations spéciales. De siècle en siècle, on leur reproche mille et un travers que l'on s'efforce de corriger ! Elles sont trop désireuses d'afficher leur culture et font les bas-bleus ou, au contraire, elles affectent une ignorance exagérée, disent les uns. Elles ne parlent que de leur ménage et de leurs enfants, disent les autres. Elles parlent pour ne rien dire, leur conversation est décousue...

Tout d'abord, une femme doit-elle se montrer savante dans sa conversation ? Surtout pas, continuait-on à proclamer, il n'y a pas si longtemps :

La jeune fille trop savante peut amener pour elle la triste faillite de l'art de plaire tandis que la dame enrichie des trésors d'une parfaite éducation se voit toujours recherchée et adulée.

DESRAT, 1899

Cependant, il ne faut pas non plus qu'elle soit trop ignare ni qu'elle fasse semblant de l'être, par souci d'élégance ou de modestie. Tous les hommes ne veulent pas qu'elle réponde : « Une tarte à la crème » quand on joue au corbillon.

Il est vrai (...) qu'une femme de qualité peut fort bien se passer de certaines sciences qui conviennent mieux aux hommes et qu'il est même de la bienséance, quand elle les sait, de ne pas s'en vanter et de tenir, comme on dit, le cas secret entre elle et quelques amis particuliers, qui ne regardent pas ces fortes études par le mauvais côté. Mais je ne voudrais pas aussi qu'elle affectât une ignorance assez grande pour n'oser dire qu'elle sait ce que personne ne devrait ignorer, comme il arriva un jour au Cercle de la Reine Mère.
Une femme de qualité y dit par hasard le mot de « voyelles » ; toutes les autres s'écrièrent d'abord : « Ah Madame, des voyelles ! » et elles s'entredemandaient :

« Savez-vous ce que c'est que des voyelles ? » Ce pauvre mot fut renié par toutes les Dames de l'assemblée, qui n'osaient dire qu'elles l'entendaient ; et il n'y eut que Madame de Montausier qui eut assez de courage pour avouer qu'elle savait ce que c'était.

F. de CALLIÈRES, 1693

A toutes les époques, on réclame de la femme « bien élevée » qu'elle se montre pudique et mesurée dans ses propos, respectueuse des conventions, éloignée de toute espèce de vulgarité :

Quand vos idées seront nettes et démêlées, vos discours seront clairs. Qu'ils soient remplis de pudeur et de bienséance. Respectez dans vos discours les préjugés et les coutumes. Les expressions marquent les sentiments et les sentiments sont les expressions des mœurs.

Marquise de LAMBERT, 1728

Voilà le mot lâché : ce sont les mœurs d'une femme qui sont en jeu et son langage ne doit surtout pas faire naître de doutes à ce sujet. La Baronne Staffe (1883) est encore bien plus précise :

Quand une femme raconte certaines choses, elle doit laisser sous-entendre bien des faits, sans les dire. Et même, avec cette réserve, il vaut mieux qu'elle ne fasse jamais le récit d'un acte scandaleux, surtout en présence d'un homme. Elle est comme souillée par la connaissance d'un genre d'infamies. Et si, à la rigueur, entre femmes du même âge, on peut parler d'événements de ce genre, il est encore bien préférable d'éviter de pareils sujets de conversation, qui dénotent, tout au moins, une curiosité malsaine.

« Infamies », « événements de ce genre », « de pareils sujets »... On remarquera que la pudique baronne donne à ses lectrices un bel exemple de la façon dont elles doivent s'exprimer sur les dits sujets. Ces derniers demeurent obscurs et on ne peut que deviner de quoi il s'agit.

Quant aux vertueuses ménagères qui ne connaissent même pas la tentation de parler de « certaines choses », qu'elles ne s'avisent pas non plus de succomber à celle de parler de leurs occupations domestiques :

Il est indispensable, après avoir courageusement envisagé les nécessités et même les vulgarités de la vie, d'élever un peu son esprit vers les régions plus sereines et plus idéales de la pensée.

STAFFE, ibid.

La conversation des femmes, dit un manuel relativement récent, est « plus fragmentée », « moins ordonnée » que celle des hommes ! Ce n'est d'ailleurs pas nécessairement considéré comme un défaut. Et même si c'en est un, une certaine tradition veut que l'on soit plein d'indulgence :

On pardonne à une femme qui voltige d'un sujet à un autre... mais d'homme à homme couper la parole est toujours une impolitesse.

La Politesse française, 1924

Les plus à plaindre sont les jeunes filles qui, au bal, sont bien obligées de faire un brin de causette avec le monsieur qui les fait danser. Pas question, tout en bavardant, de poser un regard hardi sur le visage de son cavalier :

Quand le danseur parle à sa danseuse dans les moments de repos, celle-ci, au lieu de baisser les yeux, ce qui serait une affectation, doit regarder l'épaule de celui qui lui adresse la parole.

J. B. J. de CHANTAL, 1843

On imagine la spontanéité de la conversation, dans ces conditions ! Cependant, tous les manuels ne sont pas aussi sévères, et même certains voudraient que la jeune fille ne fût pas tout à fait muette !

[Elles] éviteront dans la conversation engagée au milieu des danses les terribles monosyllabes Oui *ou* Non ; *elles*

accompagneront toujours ces mots d'une phrase aussi
courte que possible, mais toujours assez avenante pour ne
pas désarçonner le danseur dans sa conversation.

DESRAT, 1899

Ces jeunes filles si timides (on y a bien veillé) se
marient; on nous les montre alors épuisant leur
malheureux époux par un flot continu de paroles
inutiles :

Leur mari est plongé dans une lecture sérieuse, elles disent,
à demi-voix : « Il faut que j'aille chercher mon dé. »
L'attention du mari aura été distraite. — « Qu'est-ce que
tu dis ? » « Je dis qu'il me faut aller chercher mon dé. » Et
cela se répète pour des choses de la même importance. Puis
on pleure quand le mari s'éloigne, va lire tranquillement
dans son cabinet... ou à son cercle.

STAFFE, 1883

Quand la conversation devient discussion :

La conversation telle que la décrivent les manuels, et
dont les règles changent si peu, est ce que nous
appellerions la conversation mondaine : un jeu dont les
participants doivent accepter les règles.

La conversation-jeu est une œuvre d'art. Elle exige le
sacrifice de l'idée. Un homme passionné gâte toujours une
conversation-jeu. Il réfute gravement des arguments
légers; il poursuit des thèmes abandonnés. La règle est
d'accepter tous les mouvements de la balle et de la suivre
sans regrets.
Certaines passions amusent pourtant, mais c'est que leur
violence est feinte. Elles éclatent au plus haut d'un
mouvement, comme le coup de grosse caisse ou de cymbale.
Puis le bon instrumentiste garde son tonnerre au repos, les
yeux fixés sur la partition.

André MAUROIS, 1927

Or, cette sorte de conversation est de plus en plus réservée à des occasions où sont réunis des gens qui se connaissent très peu (ou juste assez pour savoir que mieux vaut s'en tenir à des propos superficiels !).

A la conversation de salon, on préfère bien souvent une conversation plus sincère et parfois moins sereine, car il est admis que les idées s'y heurtent. La conversation-jeu est supplantée par la discussion. Ce rapprochement entre la conversation et la discussion est si bien accompli qu'il est passé dans la langue où, de plus en plus souvent, on emploie le mot *discussion* à la place de *conversation* ; et si l'on est tenté de sourire de la mode qui veut que l'on aime mieux *dialoguer* que *bavarder* et que l'on trouve plus de plaisir à *discuter* avec ses amis qu'à leur *faire la causette,* néanmoins on peut voir dans l'usage de ces mots un grand désir de communication qui semble parfois singulièrement absent de la « conversation ».

Pour la nostalgie, citons enfin ces deux jolies définitions de la conversation du bon vieux temps, celle qui était faite pour plaire avant tout.

La conversation veut être pure, libre, honnête, et le plus souvent enjouée, quand l'occasion et la bienséance le peuvent souffrir, et celui qui parle, s'il veut faire en sorte qu'on l'aime et qu'on le trouve de bonne compagnie, ne doit guère songer, du moins autant que cela dépend de lui, qu'à rendre heureux ceux qui l'écoutent.

Chevalier de MÉRÉ, 1677

Un de nos plus grands moyens de plaire dans la Conversation... est l'art de la diversifier et de passer avec facilité d'un sujet à un autre, de n'en prendre, comme on dit, que la fleur et d'en ôter les épines, pour instruire en divertissant, au lieu d'ennuyer par de trop longs raisonnements auxquels tombent souvent les gens savants, qui ignorent la Science du Monde.

F. de CALLIÈRES, 1717

Le téléphone

Admirable féerie ou abominable intrusion ?

... l'admirable féerie à laquelle quelques instants suffisent pour qu'apparaissent près de nous, invisible mais présent, l'être à qui nous voulions parler et qui, restant à sa table, dans la ville qu'il habite (...), sous un ciel différent du nôtre, par un temps qui n'est pas forcément le même, au milieu de circonstances et de préoccupations que nous ignorons et que cet être va nous dire, se trouve tout à coup transporté à des centaines de lieues (lui et toute l'ambiance où il reste plongé) près de notre oreille, au moment où notre caprice l'a ordonné. Et nous sommes comme le personnage du conte à qui une magicienne, sur le souhait qu'il en exprime, fait apparaître, dans une clarté surnaturelle, sa grand-mère ou sa fiancée, en train de feuilleter un livre, de verser des larmes, de cueillir des fleurs, tout près du spectateur et pourtant très loin, à l'endroit même où elle se trouve réellement.

PROUST, Le Côté de Guermantes

Le téléphone cessa vite de n'être qu'une « admirable féerie », pour devenir le plus souvent une abominable intrusion, un esclavage. Le mot : « Alors, on le sonne et il y va ! » d'un poète de la fin du siècle dernier, apprenant qu'un confrère venait de s'abonner, a été répété depuis sous plus d'une forme. Très tôt, on songea à se protéger :

Il est bon de laisser une personne de service répondre la première à la sonnerie du téléphone car on risquerait de se trouver en communication avec un importun.

BERNAGE, 1928

De même que l'on n'ouvrait pas la porte soi-même, dans les milieux élégants ou simplement aisés, on ne répondait pas non plus à un téléphone qui sonnait. Il y avait des domestiques pour cela.

Aujourd'hui, peu de gens ont des domestiques, mais presque tout le monde a le téléphone et les « coups de téléphone » ont petit à petit remplacé les visites que faisaient nos grands-mères, ainsi que les lettres qu'elles écrivaient.

Le téléphone et les convenances

Il est parfaitement admis, de nos jours, que l'on téléphone à ses amis pour les remercier de la charmante soirée passée chez eux, du délicieux dîner... (pour un séjour un peu long, à la campagne, par exemple, on préférera souvent une lettre). On téléphone pour faire des invitations, pour les accepter, pour prévenir qu'on arrivera en retard, ou, au dernier moment, qu'on est souffrant. On téléphonera pour prendre des nouvelles d'un malade, à condition toutefois d'être certain qu'on ne le dérangera ni ne le réveillera.

Pour remercier d'un cadeau, surtout s'il s'agit d'un cadeau important (cadeau de mariage, de naissance, etc.), le coup de fil n'est pas considéré comme tout à fait poli, sauf entre amis très intimes.

Enfin, de même que jadis les heures des visites de convenances étaient strictement réglées, ainsi que leur durée, les coups de téléphone « de convenances » ne devront pas, en principe, se donner avant neuf heures du matin ni après vingt-deux heures. Les manuels recommandent également de ne pas parler plus de cinq minutes.

« A qui ai-je l'honneur ? » ou la politesse au téléphone

Le téléphone a ses règles du jeu, son langage, qui changeront probablement le jour où tout appareil téléphonique sera muni d'un écran téléviseur (la féerie sera alors complète... ou morte). Les formules, le ton de voix, ont d'autant plus d'importance que l'on ne voit pas son interlocuteur.

C'est au demandeur de s'identifier : « Allô, ici Robert H., pourrais-je parler à Monsieur X ? » Il pourra aussi attendre d'être certain que c'est bien la personne qu'il appelle qui est au bout du fil, avant de dire son nom : « Allô, Monsieur X ? ici Robert H. » La personne qui répond pourra dire : « Allô, oui, c'est bien Annie Durand, qui est à l'appareil » ou « Allô, non, ce n'est pas Annie Durand, je vais voir si elle est là. » On évitera de demander à celui qui appelle de s'identifier pour lui répondre, tout de suite après, que la personne qu'il demande est sortie... Il est plus aimable de répondre : « Madame X. est sortie, voulez-vous me laisser votre nom pour qu'elle vous rappelle ? »

Les règles sont différentes quand il s'agit de coups de fil professionnels. La secrétaire répondra en général : « Allô, qui est à l'appareil ? Ne quittez pas, je vais voir si le docteur (ou Madame X ou Maître Z) est libre. » Dans ces cas-là, bien sûr, on donnera son nom, on pourra aussi expliquer en peu de mots à la personne qui répond la raison pour laquelle on téléphone. Le ou la standardiste d'une entreprise répond souvent en donnant la raison sociale de la maison : « France-caoutchouc, j'écoute ». Cette formule, très utile pour éviter des pertes de temps, est vraiment bien sèche quand un particulier l'adapte à son usage. La perspective d'être accueilli par un « Allô, Jacques Flan, j'écoute » ne donne pas envie d'appeler.

Un nouvel art oratoire

Beaucoup d'affaires se traitent par téléphone. En 1928, le manuel de Berthe Bernage affirmait : *La grande aisance au téléphone est indispensable dans la vie d'affaires.* De nos jours, cela va de soi, et pour ceux à qui manquerait cette « grande aisance », certains manuels donnent des « trucs » pour l'acquérir. Une de ces recettes consiste à toujours sourire quand on parle au téléphone, quel que soit le sujet de la conversation (sauf, suppose-t-on, si celle-ci prenait une tournure tragique !). Ce perpétuel sourire donnera à la voix une vigueur, une vivacité qui assureront la réussite...

Le téléphone force les timides à s'exprimer, les réservés à sortir de leur réserve, les froids à devenir plus chaleureux... Il force à traduire en paroles nos gestes quotidiens. Le monsieur qui pratique encore une charmante galanterie à l'ancienne mode mettra dans son : « Mes hommages, Madame » toutes les délicatesses qu'il met dans sa façon de soulever son chapeau. Les partisans du baiser ne manqueront jamais de faire suivre leur « au-revoir » (ou, mieux, de le remplacer) par le rituel : « Je t'embrasse » ou « Je vous embrasse », qui pourra être tendre, joyeux, bon garçon, calin, légèrement zézayé, enfantin, intime...

On sait le vaillant combat que mènent les manuels pour persuader leurs lecteurs d'utiliser le téléphone de façon discrète, de ne pas en abuser, de ne pas occuper les lignes pendant des heures, de ne pas faire de confidences au téléphone car elles peuvent être entendues. Ils ont raison. Et pourtant le téléphone sert, mais oui, au bavardage, à la discussion, aux confidences, aux aveux, aux scènes d'amour, aux ruptures...

Pardonne-moi. Je sais que cette scène est intolérable et que tu as bien de la patience, mais comprends-moi, je souffre, je souffre. Ce fil, c'est le dernier qui me rattache encore à nous... Avant-hier soir ? J'ai dormi. Je m'étais couchée avec le téléphone... Non, non. Dans mon lit... Oui. Je sais. Je suis très ridicule, mais j'avais le téléphone dans mon lit et malgré tout on est relié par le téléphone... (...) Dans le temps, on se voyait. On pouvait perdre la tête, oublier ses promesses, risquer l'impossible, convaincre ceux qu'on adorait en les embrassant, en s'accrochant à eux. Un regard pouvait changer tout. Mais avec cet appareil, ce qui est fini est fini...

Jean COCTEAU, La Voix humaine, 1930

« Attendez le top sonore »

« Ici le 326 10 10. Vous êtes bien chez Angélique Diavola. Je suis momentanément absente. Veuillez laisser vos nom et numéro de téléphone. Après le top

sonore, vous aurez deux minutes. » ou : « Angélique Diavola est momentanément absente. Vous pouvez laisser un message. Veuillez attendre le top sonore. » Rien n'oblige à être aussi banal. Grâce au répondeur automatique, on peut intimider ou terroriser ceux qui appellent, ou au contraire les encourager, les cajoler...

On peut être tranchant : « Ici 326 10 10, vous êtes branché sur l'enregistreur. Après le top sonore, vous aurez trente secondes pour laisser votre nom, vos coordonnées. Merci. »

Affable : « Jérôme Dupont est désolé de manquer votre coup de téléphone. Mais si vous laissez votre nom et votre numéro, il se fera un plaisir de vous rappeler, le plus tôt possible. Veuillez attendre le top sonore... »

Puéril : « Coucou, c'est Jérôme, j'suis pas là... »

On peut préférer, au contraire, faire croire qu'on est là, pour décourager l'éventuel cambrioleur ; la pratique est courante dans les grandes villes américaines. On aura quelque chose comme : « Vous êtes bien chez John Smith. Je ne peux pas répondre tout de suite parce que je suis occupé, mais je suis là, je vous entends, laissez-moi votre nom, vos coordonnées. Je vous rappelle. » Le but de ce petit discours étant de donner l'impression qu'on est assis juste à côté de l'appareil et armé jusqu'aux dents...

Les télégrammes

Madame, venir samedi est pour moi une joie mais pas une certitude, ma santé si détestable en ce moment me prive souvent à la dernière heure des plaisirs les plus désirés. Je compte bien venir. N'osant me citer moi-même, je cite Aubigné et Verlaine :

> *Une rose d'automne est plus qu'une autre exquise.*
> *Ah! quand refleuriront les roses de septembre !*

Respectueusement
                    Marcel Proust

Télégramme à Madame Scheikevitch, Paris le 21 sept. 1917

Si Proust avait suivi les préceptes des maîtres à correspondre, il aurait ainsi formulé son télégramme : « Pas certain pouvoir venir samedi. » C'est aussi efficace, mais bien moins joli !

Au siècle dernier, le télégramme était utilisé non seulement pour annoncer un événement, mais aussi pour communiquer des détails sur cet événement ainsi que les sentiments de la personne qui envoyait le télégramme :

Père a succombé ce matin après atroce agonie. Garde les enfants. Je resterai quelques jours auprès de ma pauvre mère. Tendresses. Adrien

Suis de tout cœur avec toi. Reste auprès de ta pauvre mère à qui j'envoie hommage suprême de ma tendresse et de l'affection de nos chers enfants. Yvonne.

Comtesse de GENCÉ, 1871

Aujourd'hui, cette abondance d'adjectifs semblera extravagante ; on réserve les sentiments pour la conversation téléphonique ou la lettre qui ne peuvent manquer de suivre. Cependant, quel que soit le laconisme du télégramme, on ne saurait manquer de le terminer par une formule de courtoisie. Celle-ci peut être très brève, ne consister même que d'un mot : respects, affections, tendresses, amitiés, baisers...

On aura :

« Heureuse naissance. Beau garçon. Tendresses. »

Et encore :

« Père décédé subitement. Obsèques Jeudi. Affections. »

« Désolée vous apprendre grand-mère très mal. Vous attendons. Affections. »

« Heureux vous apprendre succès baccalauréat. Baisers. »

Pour finir, un autre télégramme de Proust, qui est, lui, un véritable roman, adressé à un ami parti en voyage de noces et dont la maîtresse est désespérée. Proust, chargé de consoler celle-ci, rassure son ami :

Vous confirme excellentes nouvelles que vous avais télégraphiées Dijon. Tout si bien que vous seriez fou si jamais vous étiez de nouveau inquiet. Ne vous avais pas écrit mercredi Fontainebleau craignant vous déplaire par affectueuse franchise sur choses que je blâme. Dites ville où je puisse vous écrire longuement. N'ayez qu'une pensée de tous les instants donner à votre femme pendant le voyage tout le bonheur possible. Dieu vous le rendra. A vous de cœur. Marcel

A Louis d'Albufera, Paris, 23 octobre 1904

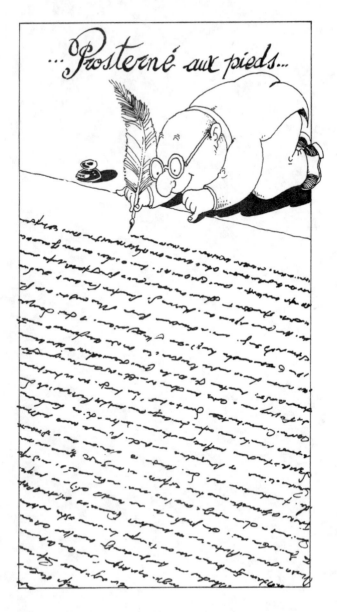

...Prosterné aux pieds...

La correspondance

Les belles lettres

Monseigneur,

*J'ai appris la faveur qu'il a plu à Votre Éminence de me
faire, et avec quelle bonté et quels témoignages de bienveillance elle m'a fait accorder la grâce dont j'avais pris la
liberté de supplier le Roi. Puisque je connais par là,
Monseigneur, que dans les plus importantes affaires Votre
Éminence ne laisse pas de se souvenir de ses moindres
serviteurs ; et qu'en faisant de plus grandes choses, elle ne
néglige pas les plus petites ; je crois qu'elle n'aura pas
désagréable la hardiesse que je prends de lui rendre les très-
humbles grâces que je lui dois, et qu'elle daignera prendre
la peine de lire la protestation que je lui fais ici ; qu'outre le
respect et la vénération que nous devons tous à une
personne qui a acquis et acquiert tous les jours tant de gloire
à cet État, j'aurai toujours une passion très particulière de
témoigner par toutes les actions de ma vie que je suis,
Monseigneur,*
*de Votre Éminence, le très-humble et très-obéissant
serviteur.*

Cette lettre de remerciement à un cardinal et premier
ministre est citée par Courtin dans son *Nouveau Traité
de la Civilité* (1671). Et Courtin ajoute :

*On voit que tout est juste dans cette lettre, le style qui est
grave convient à la personne qui écrit. (…) Il convient à la
matière qui est le témoignage d'un cœur touché d'un
bienfait.*

109

Cette lettre est une merveille du genre. L'auteur s'y prosterne aux pieds de son bienfaiteur, par un gracieux enchaînement de formules toutes faites où pas un mot n'est répété...

Dès le xviᵉ siècle, on trouve quelques ouvrages donnant des modèles de lettres, ou du moins de phrases utiles dans la correspondance.

Ainsi ces deux beaux exemples de phrases de remerciements, où s'exprime une reconnaissance éternelle :

Si je ne vous remercye autant comme je doibz, la grandeur de vos bienfaictz en est la cause et non la mescognoissance ou faute de bonne volonté.
Si la fortune, le temps, le moyen et la puissance de recognoistre ce bien receu me défaillent, du moins la continuelle souvenance que j'en auray vous portera tesmoignage de ma bien affectionnée et non ingratte volonté.

PONTUS DE TYARD (?), 1578-1589

Au Grand Siècle, les « secrétaires » (ouvrages contenant des modèles de lettres pour toutes les circonstances) se multiplient. Les lettres de remerciements y tiennent une place importante, et pour cause ! La Cour est un monde où l'on vit de faveurs, de services rendus en échange d'autres services... Il faut savoir remercier et promettre son assistance à qui vous a assisté, tout en ayant l'air de dire que l'amitié, entre honnêtes gens, ne dépend pas de ces choses-là.

Monsieur, puisque c'est votre humeur et votre plaisir d'obliger tous les jours de nouveau ceux qui vous sont les plus acquis, je suis d'avis de vous laisser faire, et me mettre en peine seulement de chercher les occasions de m'en revancher ; que si mon malheur veut toutefois qu'en cette recherche mes soins soient inutiles, je ne saurais vous offrir pour votre satisfaction que la volonté qui m'en demeure avec la passion de vous servir, comme étant, Monsieur, votre très humble serviteur.

LA SERRE, 1641

On ne laisse pas une pareille épître sans réponse. Et le comble de la civilité est de prendre un ton bourru pour « renvoyer » des remerciements qu'on affecte de trouver blessants :

Monsieur,

Je vous renvoie vos remerciements, afin que vous vous en serviez envers des personnes qui vous soient moins acquises que je ne suis. On jugerait à lire vos compliments dans la lettre que vous m'avez fait la faveur de m'écrire, que vous avez envie de me cajoler pour gagner mon amitié. Souvenez-vous que je l'ai donnée tout entière à votre mérite ; de sorte que vous devez vivre dorénavant avec moins de civilité et plus de franchise si vous me tenez au nombre de vos serviteurs, comme étant,

      Monsieur, un de vos plus humbles et plus fidèles.

LA SERRE, 1651

La formule finale

L'art, dans ces petits chefs-d'œuvre, consiste en grande partie à préparer, de longue main, la formule finale. C'est un art que nous avons perdu. Les belles formules de l'Ancien Régime ne s'emploient plus, dans la correspondance moderne, que dans des cas très précis. Ainsi, un catholique qui adresse au Pape une supplique la terminera ainsi, s'il veut suivre l'ancienne tradition :

> « Prosterné aux pieds de Votre Sainteté
> et implorant
> Sa bénédiction apostolique,
> j'ai l'honneur d'être,
> Très Saint-Père,
> avec le plus profond respect,
> de Votre Sainteté,
> le très humble et très obéissant fils et serviteur. »

Si l'on veut être plus moderne, on peut écrire, tout simplement : « Que votre Sainteté daigne agréer l'assurance de mon profond respect. »

De même, si on avait à correspondre avec un prince appartenant à une maison souveraine française, on pourrait écrire :

> « J'ai l'honneur d'être,
> Monseigneur (ou Madame),
> de votre Altesse Royale (ou Impériale),
> avec un profond respect
> le très humble et très dévoué serviteur. »

Pour un prince d'une nation étrangère, on supprimerait le « très dévoué », pour le remplacer par « très obéissant ».

Cependant, même dans le cas d'une Altesse Royale, l'usage de cette formule est en voie de disparition. En Belgique, on termine ainsi une lettre au Roi : « Je prie le Roi de bien vouloir agréer l'expression de mon profond respect. »

La formule de courtoisie est, dans une large mesure, déterminée par la formule d'appel (voir page 120) qui donne le ton de la lettre. Une lettre doit présenter une certaine cohérence, et il est bien évident que l'on n'enverra pas son respectueux souvenir à quelqu'un que l'on appelle « Mon vieux Jules » en tête de lettre, ni ses affectueux baisers à un « Cher Collègue ». Les Français sont très attachés aux formes, comme le montre l'anecdote suivante (qui ne doit pas être la seule de son espèce).

En 1940, après l'armistice, on commença par suspendre toute correspondance entre la zone occupée et la zone dite « libre ». Il y eut ensuite une période pendant laquelle ne furent autorisées que des cartes postales dites « interzones » (bientôt surnommées « cartes bochtales »), où figuraient d'un côté l'adresse du destinataire, et de l'autre des rubriques telles que

« ... va bien » ; « ... est malade » ; « ... est blessé » ;
« ... est prisonnier » ; « ... est refusé/reçu à l'exa-
men/concours de... » ; « ... va entrer à l'école de... » ;
puis deux lignes en blanc pour la correspondance
« libre » et, pour finir, la formule « Bons baisers »,
l'usage de ces cartes étant théoriquement réservé à la
correspondance familiale. Un monsieur très correct,
obligé d'envoyer une de ces cartes à une dame de sa
connaissance mais non de sa parenté, raya « Bons
baisers » et écrivit au-dessous « Amicaux souvenirs ».
Toute modification au formulaire étant interdite, ce
monsieur risquait fort, par ses scrupules, de faire que
sa carte ne soit pas acheminée ! Elle parvint néanmoins
à sa destinataire, qui la conserva longtemps à titre de
souvenir.

Les Anglais, moins cérémonieux que nous, du moins
dans leur correspondance, terminent leurs lettres par
« Yours » ou « Sincerely yours » ou « Truly yours ».
Ces formules valent pour la correspondance officielle et
professionnelle aussi bien que pour la correspondance
privée. Elles peuvent se traduire en français par
« Votre » et « Sincèrement vôtre [1] », qui ne sont plus
d'un emploi très fréquent, mais qui connurent une
grande mode, vers la fin du siècle dernier.

C'était aussi l'époque où l'on terminait ses lettres par
« Tout à toi », « Bien à vous ». On peut encore
employer ces formules, qui sont jolies.

Ceux qui veulent faire preuve d'érudition aimeront
terminer leurs lettres par la belle formule latine *Vale et
me ama* ou sa traduction « Porte-toi bien et aime-moi »,
ou, plus simplement encore, par *Vale* « porte-toi
bien ». Mais surtout pas par « Je me porte bien »,
trouvaille d'un assez sot personnage de *L'Habit vert*...

---

1. *Votre* ne prend pas d'accent circonflexe car il s'agit de l'adjectif
possessif qui est censé se rapporter au nom exprimé par la signature.
Après *sincèrement*, *vôtre* prend un accent circonflexe car il s'agit du
pronom possessif : l'expression signifie « sincèrement à vous ».

Le français établit des distinctions très nettes entre les différentes sortes de correspondance. A l'intérieur de ce système, le but des formules est de situer le signataire et le destinataire l'un par rapport à l'autre dans la hiérarchie sociale et, en même temps, d'indiquer le lien qui les unit : respect, dévouement ou gratitude, affection, admiration, mais aussi intérêt, autorité, mépris et... « les sentiments distingués », c'est-à-dire rien du tout.

Petit répertoire de formules utiles

Un homme à un supérieur : « Je vous prie d'agréer, Monsieur le..., l'expression de mon respectueux dévouement. »

Une femme à une supérieure hiérarchique : idem (remplacer « Monsieur le... » par Madame la...) ou : « sentiments dévoués ».

Un homme à un supérieur à qui il est lié par une certaine affection ou de la gratitude : « Veuillez agréer, Monsieur, l'expression de mes sentiments respectueusement dévoués. »

Un homme à une femme : « Veuillez agréer, Madame (la...), l'expression de mes respectueux hommages. »

Un homme à une femme qu'il ne connaît pas : « Veuillez agréer, Madame (la...), l'expression de mes sentiments distingués.

Une femme à un homme qu'elle ne connaît pas : idem, ou : « Croyez, Monsieur, à mes sentiments distingués. »

Une femme à une femme beaucoup plus âgée : des sentiments respectueux, bien sûr, ou bien « Permettez-moi de vous assurer, Madame, de ma déférente amitié. » (vieillot, peut-être, mais joli.)

Un homme ou une femme à une personne qu'ils connaissent un peu : « Veuillez agréer, Monsieur (ou Madame), l'expression de mes sentiments les meilleurs. »

A un fournisseur, un hôtelier, un employé d'une compagnie, etc. : « Veuillez agréer, Monsieur, l'assurance de mes sentiments les meilleurs », ou « de mon cordial souvenir », ou, tout simplement : « Veuillez agréer, Monsieur, mes sincères salutations. » Jadis le fournisseur, l'employé, envoyaient leurs « salutations empressées ». Cela ne se fait plus.

Considération ou respect ?

Les fonctionnaires entre eux s'envoient l'assurance de leur « considération distinguée », de leur « haute considération », de leur « parfaite considération », de leur « très haute considération » et tous envoient à leur ministre l'expression de leur « profond respect ». Certains manuels insistent sur l'importance d'établir une fois pour toutes, dans une administration, le degré de considération auquel chacun aura droit, de la part de ses supérieurs aussi bien que de ses inférieurs. On imagine, en effet, le désarroi du malheureux qui, habitué depuis dix ans à recevoir l'expression de la haute considération de son chef, se verrait un beau jour prié d'agréer l'assurance de sa considération distinguée... On notera à ce propos que l'emploi du terme « expression » est plus aimable que celui « d'assurance », car on « exprime » un respect, un dévouement qui sont acquis et dont on n'a plus, par conséquent, à « assurer » le destinataire.

Un particulier qui écrit à un ministre peut toujours terminer sa lettre par : « Je vous prie d'agréer, Monsieur le Ministre, l'hommage de mon profond respect. » S'il trouve que ces derniers mots sont par trop complaisants ou font trop bon marché de ses véritables sentiments, il peut les remplacer par « l'expression de ma haute considération », en sachant bien, toutefois, que certaines personnalités tiennent beaucoup au respect et n'ont que faire d'une considération, fût-elle haute ou parfaite. Il y a là un souvenir vivace du temps où la différence de sens entre ces mots était très nette.

Nous ne pouvons pas dire à quelqu'un que nous avons pour lui bien de la considération, sans lui faire sentir que nous nous croyons au-dessus de lui.

F. de CALLIÈRES, 1693

D'un homme à une femme, la « considération » était un véritable manque de respect :

C'est aussi une sottise sans excuse à ce Bourgeois de vous dire qu'il a pour vous bien de la considération, pour éviter le terme de respect qui est toujours bienséant à un homme en parlant à une femme.

Ibid.

PERMETTEZ-MOI DE VOUS ASSURER, MADAME, DE MA DÉFÉRENTE AMITIÉ...

Du sentiment, que diable !

On peut toujours faire comprendre ses véritables sentiments à travers les formules traditionnelles ; mais c'est un art subtil, où tout se joue sur le choix d'une formule autre que celle que la situation imposait. Beaucoup préfèrent une expression plus riche et plus directe — sinon toujours plus sincère. Ainsi Proust saluant une amie à la fin de ses lettres :

Je vous admire et vous aime infiniment, Madame. Votre respectueux M. P.

Daignez accepter, Madame, ma plus profonde admiration respectueuse.

Votre ami respectueux, votre admirateur adorant.

Adieu, Madame, rappelez-moi au souvenir de M. de Noailles et daignez accepter mon admiration et mon respect.

Je vous aime toujours, Madame. Votre respectueux admirateur.

Lettres à Madame de Noailles, 1902-1904

Il est amusant de noter que ces formules sont précisément de celles que déconseillent les manuels :

Rien n'est plus froid et plus ridicule que ces accumulations d'épithètes, « votre tendre, sincère et constante amie », « mille et mille baisers ou amitiés ».

CELNART, 1832

Stendhal, lui, envoyait volontiers « mille et mille baisers » et cela ne déparait nullement ses lettres... Tout dépend donc du contexte et aussi du talent de celui qui écrit !

Aujourd'hui, nous nous contentons, de plus en plus souvent, d'un laconique « Je vous (t') embrasse. » Peut-être est-ce là notre façon de retourner à la simplicité des anciens Romains ! Bien sûr, personne n'a besoin de consulter un manuel pour écrire à ceux qui lui sont chers. On laisse parler ses sentiments...

Encore peut-il être utile et agréable de savoir nuancer ces sentiments, afin de ne pas écrire à tout le monde la même chose. On pourrait retrouver le plaisir de préciser qu'il s'agit, suivant les cas, de bons souvenirs, de vive amitié, d'affection. On pourra, dans une même correspondance, passer de l'un à l'autre... On n'hésitera pas à se servir de « salutations » pour repousser quelqu'un qui nous aurait « embrassé » un peu trop vite... Un homme pourra prendre un petit ton italien et, écrivant à une femme, remplacer le « Je vous embrasse » par « Je vous baise les mains ». On peut aussi, d'un ton bonhomme, envoyer « bien des choses » à des gens à qui on n'a pas l'habitude d'envoyer de « bons baisers ». On pourra, avec une pédanterie souriante (pourquoi pas ?), reprendre de vieilles formules, comme celles de Madame de Sévigné, pour exprimer une affection que l'on hésite, par timidité, à déclarer plus directement :

Je suis plus à vous que je ne puis vous le dire.

Je vous embrasse mille fois, ma chère enfant, avec une tendresse qui ne se peut représenter.

Adieu, ma très-aimable et très-aimée : vous me priez de vous aimer ; ah ! vraiment je le veux bien ; il ne sera pas dit que je vous refuse quelque chose.

Marquise de SÉVIGNÉ, Lettres, 1648-1696

Il reste que les formules toutes faites sont une bénédiction pour le timide, à qui elles donnent du courage, et pour l'audacieux, qui peut, grâce à elles, prêter à son audace un costume acceptable. Elles sont, en tous les cas, préférables à certaines innovations :

Mme *de Cambremer avait pris l'habitude de substituer au mot, qui pouvait finir par avoir l'air mensonger, de « sincère », celui de « vrai ». Et pour bien montrer qu'il s'agissait en effet de quelque chose de sincère, elle rompait l'alliance conventionnelle qui eût mis « vrai » avant le substantif, et le plantait bravement après. Ses lettres*

finissaient par : « Croyez à mon amitié vraie. » « Croyez
à ma sympathie vraie. » Malheureusement c'était tellement
devenu une formule que cette affectation de franchise
donnait plus l'impression de la politesse menteuse que les
antiques formules au sens desquelles on ne songe plus.

PROUST, *Sodome et Gomorrhe*

Les formules d'appel

Si, pour terminer une lettre, on peut hésiter entre le
désir d'observer les usages et celui de montrer un peu
d'imagination ou de sincérité, le problème, au début de
la lettre est d'un autre ordre : connaître ou ne pas
connaître la seule formule possible, là est la question.
Ainsi, pour écrire au Président de la République, on ne
commencera pas comme Boris Vian : « Monsieur le
Président, je vous fais une lettre... »
Les présidents sont foule, mais il n'y a qu'un Président
de la République... On écrira donc :

« Monsieur le Président de la République »
De même :
au Pape : « Très Saint-Père »
à un souverain : « Sire »
et à une Altesse royale, à un prétendant au trône :
« Monseigneur » ; le féminin est « Madame ».

La liste des titres étant interminable, on se contentera
de quelques exemples. En cas de doute, « Monsieur »
et « Madame » sont généralement corrects et toujours
préférables à une formule ridicule et alambiquée.

TITRES NOBILIAIRES : « Monsieur le Duc », « Madame
la Duchesse ». Pour les autres, on ne met pas le titre.
Si on connaît très bien un marquis, on peut lui écrire
« Mon cher Marquis » (si on le connaît si bien que ça,
il est probable qu'on lui écrira « Mon cher Albert »).

DIGNITÉS RELIGIEUSES : « Monsieur le Curé », « Monsieur l'Abbé », « Monsieur le Chanoine », « Monseigneur », « Éminence » ou « Monsieur le Cardinal » (cette dernière formule est réservée à la correspondance officielle). Aux religieux des ordres réguliers : « Mon Père », « Très Révérend Père », à une abbesse : « Madame l'Abbesse », « Madame la Prieure ». A un ou une supérieure d'ordre non cloîtré : « Monsieur le Supérieur », « Madame la Supérieure ».
A un pasteur : « Monsieur le Pasteur ».
A un rabbin : « Monsieur le Rabbin ».

GRADES MILITAIRES : « Monsieur le Maréchal » à un Maréchal de France (sa femme est « Madame la Maréchale » ; c'est la seule épouse d'officier que l'on appelle officiellement du titre de son mari).
A un général, à un colonel, un homme écrira « Mon Général », « Mon Colonel » ; une femme : « Général », « Colonel », etc.
A un lieutenant-colonel, on écrit : « Mon Colonel ».

FONCTIONS OFFICIELLES : « Monsieur le Ministre », « Madame le Ministre » ;
« Monsieur l'Ambassadeur, Madame l'Ambassadeur » ;
« Monsieur le Consul ; Madame le Consul » ;
« Monsieur le Maire ; Madame le Maire ; »
« Monsieur le Directeur, Madame la Directrice » (cependant il ne semble pas qu'on puisse mettre au féminin la formule « Président-Directeur-Général ») ;
« Monsieur le Préfet », « Monsieur le Conseiller », « Madame la Conseillère », etc.
Si l'on doit écrire à la femme d'un sous-préfet, on écrira « Madame », et non pas « Madame la Sous-Préfète » ; de même que la femme du maire n'est pas « Madame la Mairesse ».
Entre eux, les ministres s'écrivent : « Monsieur le Ministre et cher Collègue ».

Un étudiant est parfois bien embarrassé pour écrire à un enseignant. « Cher Monsieur » convient si des rapports cordiaux existent. Sinon, la question du grade — et de la vanité du destinataire — se pose. Avec « Monsieur le Professeur », on est à l'abri, même si cela fait bien compassé adressé à un jeune assistant. Enfin, au vice-président du Conseil d'État, on écrit : « Monsieur le Président » (on donne toujours du Président à un vice-président, de même qu'on donne du Directeur à un sous-directeur...). Au procureur de la République, on écrit : « Monsieur le Procureur » ; à un procureur général : « Monsieur le Procureur général » ; à un juge d'instruction : « Monsieur le Juge » ; de même, à un commissaire de police : « Monsieur le Commissaire ».

En revanche, « Monsieur le Percepteur » ou « Monsieur l'Inspecteur des Impôts » sont inutiles. D'abord la lettre a toutes les chances d'être interceptée par un subalterne qui se moque de la formule que l'on emploie (ceci est vrai dans la plupart des exemples, du reste), et surtout la présence ou l'absence du titre ne changera rien à la somme due.

PROFESSIONS LIBÉRALES : aux avocats, huissiers et notaires des deux sexes, on dira : « Maître », ou « Cher Maître » ;
à un docteur : « Docteur », « Monsieur le Docteur », « Madame le Docteur », recommandés par certains manuels, sont bannis par d'autres ; « Madame la Doctoresse » n'est plus du tout en faveur.
Il va de soi que, lorsqu'il existe entre le signataire et le destinataire des liens d'amitié ou du moins une certaine cordialité, on peut faire précéder le titre de « Cher » ou de « Mon cher ». On aura ainsi : « Monsieur et cher Docteur », « Ma chère Collègue », « Cher Maître et ami ».

EMPLOYÉS (DE MAISON ET D'ENTREPRISE) : les « Mon bon Joseph », « Ma brave Joséphine » si chers au siècle dernier, où l'on aimait s'attendrir tout en remettant les gens à leur place, sont « out ». On n'oserait plus... Certains manuels s'obstinent à conseiller, pour « les vieux domestiques » la résurrection de ces formules désuètes. Il y a cependant tout à parier que la « bonne Thérèse » préférerait qu'on lui écrive « Ma chère Thérèse ».

Un patron qui écrit à son employé l'appelle : « Monsieur » ou « Cher Monsieur ». S'il veut se montrer particulièrement cordial, il pourra écrire : « Mon cher Durand ». Mais seule une différence d'âge sensible rend supportable et même agréable cette formule hautement paternaliste. Noter aussi que le supérieur peut donner modestement du « Cher collègue » ou « Cher ami » à un subalterne, la réciproque étant, bien entendu, impossible.

A une femme, un patron écrira « Madame ».

Pour écrire à un commerçant, à un ouvrier aux services de qui on a recours, on évitera les formules (fréquentes au siècle dernier) : « Mon cher Monsieur Ricard », « Monsieur Ricard », qui sont très méprisantes. On écrira tout simplement « Monsieur » ou « Cher Monsieur », « Chère Madame ». Pour une personne que l'on connaît bien, « Mon cher ami », « Mon cher Dupont » sont parfaitement admis.

On n'écrira jamais « Mon cher Monsieur », « Ma chère Madame » et encore bien moins « Ma chère Dame ».

L'enveloppe

L'ADRESSE

« Monsieur et Madame X », « Madame Jean Y », « Monsieur et Madame Théodore X » sont toujours en usage et sont inévitables quand il n'existe pas entre les correspondants de relations amicales.

« Marianne H », « Jean et Pauline Y » sont plus sympathiques entre gens qui se connaissent bien. D'autant que nombre de femmes acceptent de moins en moins de disparaître à la fois sous le nom et le prénom de leur époux.

UN POINT DÉLICAT

Quelqu'un vous confie une lettre pour la remettre à une autre personne ; naturellement, cette lettre n'est pas fermée, ainsi que l'exigent l'usage et la plus élémentaire politesse. Le messager choisi doit-il cacheter la lettre immédiatement, en présence de celui qui l'a écrite ? Oui, car on ne saurait exagérer les procédés délicats.

STAFFE, 1892

Cette petite cérémonie du cachetage de la lettre par le messager est toujours pratiquée.

Pour finir, on rappellera qu'il est poli, si l'on doit décacheter une lettre devant quelqu'un de lui en demander la permission (« Vous permettez ? ») ou de s'excuser de ce geste.

Les mille et une lettres

D'innombrables manuels ont distingué et distinguent encore d'innombrables situations donnant lieu à l'envoi d'une lettre. En voici un choix raisonnable.

LA LETTRE DE CHÂTEAU : c'est la lettre qu'on écrit aux amis chez qui on vient de passer un week-end ou des vacances. Elle est obligatoire ; elle peut cependant être très courte. Elle contiendra des remerciements et des paroles aimables sur la maison, les distractions qui ont été offertes, la beauté du pays... Si on a attrapé une angine, on évitera de donner à ses hôtes l'impression qu'ils en sont responsables.

LETTRES DE FÉLICITATIONS, DE VŒUX : elles sont encore obligatoires dans certains milieux, complètement tombées en désuétude dans d'autres ; dans ces derniers, on se réjouit avec ses amis des événements heureux qui les concernent et l'on ne se préoccupe que peu des naissances, fiançailles, promotions des gens qu'on connaît mal. Revenons donc à ceux qui, par nécessité professionnelle ou par tradition, doivent écrire des lettres de félicitations. Elles doivent être envoyées dans les huit jours qui suivent l'annonce d'une naissance, d'un mariage, d'une promotion, d'une décoration. Dans ce dernier cas, on parlera du vif plaisir avec lequel on a appris la *nomination* du destinataire au grade de chevalier de la Légion d'honneur, sa *promotion* au grade d'officier, son *élévation* à la dignité de Grand-Croix...

LETTRES DE CONDOLÉANCES : elles sont en général très brèves, quelques mots de sympathie suffisent. On ne se croira pas obligé de faire l'éloge funèbre de la personne qui vient de disparaître, mais on évitera aussi une excessive sécheresse. Pour les terminer, on a le choix entre un certain nombre de formules :
« Je vous prie d'agréer, chère Madame (cher Monsieur), l'expression de mes très sincères condoléances (de ma respectueuse sympathie ; de mes sentiments profondément attristés ; de ma très amicale sympathie). »
On pourra aussi adresser des « sentiments d'affectueuse sympathie », de « sympathie émue ».
Quand il s'agit d'une personne que l'on connaît bien, on peut, tout en restant très bref, trouver des mots qui toucheront.

Ainsi, la courte lettre de Marcel Proust à son ami Clément de Maugny qui venait de perdre sa mère (1919) :

Une ligne pour te dire mon profond chagrin d'apprendre la mort de ta mère. Depuis longtemps tu avais su continuer à l'aimer absente. Tu la croiras seulement un peu plus loin et tu lui garderas la fidélité inébranlable de la tendresse, de la douleur, et du souvenir. Madame de Maugny t'aidera à porter ta peine. Elle saura t'empêcher aussi bien de souffrir que d'oublier.

Tout à toi

Marcel Proust

LETTRE POUR S'EXCUSER DE N'ÊTRE PAS VENU À UNE SOIRÉE

Mon cher Maître,

Je suis inconsolable d'avoir perdu l'occasion de retrouver M. Barrès et la belle comtesse, et surtout de vous voir. Reynaldo vous expliquera ce qui nous est arrivé. Et nous avons passé la soirée à nous désoler de sentir les heures passer sans apporter un moyen de vous rejoindre.
Je vous adresse bien sincèrement mes remerciements respectueux, affectueux et désolés.

PROUST à Robert de Montesquiou, 1899

LETTRE POUR SE DÉSOLER DU DÉPART D'UN ÊTRE AIMÉ

Quel jour, ma fille, que celui qui ouvre l'absence ! Comment vous a-t-il paru ? Pour moi, je l'ai senti avec toute l'amertume et toute la douleur que j'avais imaginées, et que j'avais appréhendées depuis si longtemps. Quel moment que celui où nous nous séparâmes ! Quel adieu ! Et quelle tristesse d'aller chacune de son côté quand on se trouve si bien ensemble !

Madame de SÉVIGNÉ à Madame de Grignan, 27 mai 1675

LETTRE POUR REPROCHER À QUELQU'UN SON SILENCE

Tu ne songes donc pas, cruelle fille, combien ton silence est désespérant : ne pas répondre à nos amis, c'est être mort pour eux...

Que deviens-tu, ma chère amie ? Encore quatre ans de cette vie silencieuse et nous serons étrangers l'un à l'autre, non pas de cœur, mais par la connaissance de ce qui nous intéresse.

Prends donc sur toi de m'écrire une fois par mois. C'est comme la course que saint Denis exécutait en portant sa tête dans ses bras, il n'y a que le premier pas qui coûte...

STENDHAL à sa sœur Pauline

LETTRE POUR S'EXCUSER DE N'AVOIR PAS ÉCRIT PLUS TÔT

Il est très facile de donner à son correspondant l'impression que l'on a mille choses à faire, toutes beaucoup plus importantes que de lui écrire. Si, pour une raison quelconque, on veut produire cette impression, on utilisera des formules dans le genre : « Excusez ma paresse » ou « Je suis vraiment d'une négligence impardonnable », qui soulignent le fait qu'écrire une lettre est une corvée.

Mais, si l'on désire vraiment se faire pardonner une lettre tardive, on modernisera un peu la formule recommandée par la comtesse de Gencé (1871) : *Je vous prie, ma chère amie, d'excuser le long retard que j'ai mis à vous répondre. On ne fait malheureusement pas toujours ce que l'on veut...* On peut, à la rigueur, utiliser les « petits subterfuges » indiqués par la comtesse, tels que d'écrire : *Figurez-vous, ma chère amie, que j'étais convaincue de vous avoir répondu. C'est, seulement tout à l'heure, en relisant votre gentille lettre que je me suis aperçue que je n'en avais rien fait. Excusez-moi.* C'est d'ailleurs aux femmes seulement que la comtesse suggère ces petites ruses. Un homme, lui, risquerait de passer pour « peu sérieux » s'il y avait recours... Il y a des cas où l'excès de sincérité peut être mal venu et même cruel. Ainsi cette jeune femme qui écrivait à une amie alitée depuis des mois dans un sanatorium : « Je profite de ce que j'ai un gros rhume pour t'écrire »...

Je profite de ce que j'ai un gros rhume pour t'écrire...

Une demande à un ministre commence invariablement ainsi :

« J'ai l'honneur de solliciter de votre haute bienveillance l'attribution d'une bourse (la gérance d'un bureau de tabac, la décoration du Mérite agricole, une pension, un an de congé...) ».

Demander, cela peut être prier ou ordonner. Les deux démarches restent bien distinctes. On a un peu oublié que les expressions « vouloir bien » et « bien vouloir » ne sont pas du tout équivalentes. La première a longtemps été utilisée pour s'adresser à des « inférieurs », domestiques, commerçants etc. On écrivait : « Je vous saurai gré de vouloir bien terminer ce travail aussi rapidement que possible » ou « Je vous prie de vouloir bien m'envoyer une douzaine de gants »... « Vous voudrez bien faire ceci » est un ordre sec et blessant. Sous des dehors raffinés, « J'attacherais du prix à ce que... » est aussi un ordre strict. « J'aimerais que... » est plus décontracté. Attention à la formule « Je vous serais reconnaissant de... » ! Si elle n'est pas accompagnée de « bien vouloir », c'est l'expression d'une exigence et non d'une prière. Si l'on veut être respectueux, on écrira donc : « Je vous serais reconnaissante de bien vouloir m'indiquer quand je pourrais vous voir... » et encore : « Je vous prie de bien vouloir excuser l'absence de mon fils Armand... ». On réservera les « vouloir bien » et les « Je vous serais reconnaissant de faire ceci » pour les cas où l'on désirera se montrer particulièrement tranchant.

LETTRE POUR TANCER

Selon les manuels modernes, les occasions de signifier son mécontentement sont légion : entrepreneurs peu soigneux, artisans peu pressés, fournisseurs inexacts, etc. Les lettres qu'ils proposent d'envoyer à ces indélicats n'ont cependant pas la saveur de ce modèle composé au siècle dernier, une lettre « d'une dame à une modiste pour lui faire des observations » :

Madame,

Vous m'aviez promis mon chapeau pour ce soir et je me trouve fort contrariée de ne pas l'avoir, n'en ayant pas d'autre à mettre avec une toilette de la même nuance. Vous n'auriez pas dû prendre un engagement que vous n'étiez pas sûre de pouvoir tenir. Il m'est d'autant plus pénible d'avoir à vous faire cette observation que j'étais habituée à votre exactitude.

Veuillez me livrer ce chapeau dès demain matin, sans faute. J'y compte absolument.

Recevez, Madame, mes salutations.

V. d'Hauteville

La réponse de la modiste est un modèle de lettre pour s'excuser qui reste tout à fait utilisable, en supprimant les formules trop obséquieuses :

Madame,

Je suis tout à fait désolée de n'avoir pu vous livrer votre chapeau à l'heure indiquée. L'ouvrière qui devait y mettre la dernière main a été prise d'une violente attaque de nerfs, et j'ai dû interrompre tout le travail de l'atelier pour lui prodiguer des soins pressants.

Veuillez donc m'excuser, Madame, et m'accorder toujours la confiance dont vous m'avez honorée jusqu'à ce jour. Vous serez, j'espère, assez satisfaite de votre chapeau pour me pardonner ce léger retard dont je suis personnellement plus contrariée que vous-même.

Daignez agréer, Madame, l'hommage de mes sentiments respectueux.

Rose Berny

Comtesse de GENCÉ, 1871

LETTRE POUR DORER LA PILULE :

« C'est avec le plus vif intérêt que nous avons lu votre manuscrit, regardé votre projet... » Inutile de lire plus loin ni de chercher la phrase qui commence par « Malheureusement », pour savoir que le manuscrit, le projet est refusé.

Ceux qui sont dans la pénible obligation d'écrire ce genre de lettres ont à leur disposition un certain nombre de formules qui évitent de commencer la lettre par un simple « J'ai le regret de... », souvent considéré comme trop brutal. Outre l'enthousiasme et la flatterie (voir ci-dessus), il y a la déclaration de bonnes intentions, d'une certaine solidarité dont on prend le destinataire à témoin :

C'EST AVEC LE PLUS VIF INTÉRÊT QUE NOUS AVONS LU VOTRE MANUSCRIT, MAIS...

« Comme vous le savez, nous attachons la plus grande importance à la promotion des jeunes (artistes, auteurs, architectes)... »

D'autres formules, moins élégantes, ne font que gagner du temps :

« Comme vous le savez, notre comité ne se réunit que le mercredi... » ou « Ce n'est que tardivement que nous avons pris connaissance de votre envoi... »

Certaines lettres prennent une allure de simple accusé de réception, plus ou moins aimable suivant les circonstances :

« Nous vous remercions d'avoir bien voulu nous confier votre manuscrit... »

« Nous avons pris bonne note de la demande exprimée dans votre lettre du... »

Ces formules ne présentent qu'un avantage — tout esthétique d'ailleurs —, celui de ne pas faire commencer la lettre par une formule de refus.

Avis au destinataire : les deux dernières formules peuvent — dans les meilleurs des cas — n'être que ce qu'elles semblent être, c'est-à-dire des accusés de réception. Il est donc préférable de lire ces lettres-là en entier !

La fin d'une lettre de refus est également très révélatrice. A-t-on sollicité un service ? La réponse arrive, on l'ouvre, on aperçoit la dernière ligne : « Croyez bien, cher ami, à mon dévouement qui vous reste acquis. » Inutile de lire la lettre, à moins d'être curieux de connaître le prétexte invoqué. Cette formule qui frise l'ironie et ne trompe personne, peut être avantageusement remplacée par quelque chose comme :

« Nous regrettons beaucoup (infiniment) de vous décevoir et vous prions d'agréer... »

« Avec tous mes regrets, je vous prie de croire... »

Cette nécessité est rarissime ? Qui peut jurer qu'il ne la connaîtra jamais ? En ce cas, il existe un modèle insurpassable, qu'il suffira d'adapter à des circonstances probablement plus modestes.

En 1867, le duc de Persigny, ministre de Napoléon III, consterné par la situation dans laquelle se trouvait l'Empire, dont la politique essuyait échec sur échec, et par les fautes qui étaient à l'origine de ces échecs, rechercha l'explication de ces fautes. Il la trouva dans l'influence de l'Impératrice et, en particulier, dans sa présence au Conseil. Il adressa donc à l'Empereur une note (11 novembre 1867) « espérant que Sa Majesté n'en donnerait pas connaissance à l'Impératrice ». Or, « par une fatalité singulière », cette note tomba d'abord entre les mains de l'Impératrice. « On jugera si j'avais bien fait de prendre toutes les précautions de langage pour adoucir ma pensée », commente Persigny dans ses Mémoires. On admirera le préambule de cette *Note pour l'Empereur*, qui mène gracieusement mais fermement au grand « Mais... » :

J'entreprends aujourd'hui une tâche des plus difficiles. Je veux parler d'une des plus grandes causes de faiblesse, d'un des plus grands vices qui affectent l'Empire. Pour cela, j'aurais besoin de la plume la plus fine et la plus déliée, non pas assurément que quelques replis secrets de mon cœur réclament des habiletés de style pour les dissimuler, mais parce qu'il y a des sujets tellement délicats, en eux-mêmes, que les toucher de la main la plus respectueuse, la plus dévouée, est déjà un acte d'audace, et que la moindre faute dans l'expression devient un péril pour la pensée elle-même. Ces considérations, ces périls ne m'arrêteront cependant pas. Sûr et fort de ma conscience, je ne crains pas de m'aventurer sur cette mer hérissée d'écueils. Dieu le veult, disaient les croisés. Moi, je dis : Ma foi l'ordonne, et Je sers est ma devise.

S'il fut jamais au monde quelque chose de noble, de touchant, d'élevé, c'est l'attitude de l'Empereur, lorsque, en prévision d'une éventualité que tout homme de bien, dans une situation analogue, doit avoir le courage de prévoir, il voulut préparer l'Impératrice au rôle qu'elle pouvait être appelée à remplir avant la majorité de son fils, la recommander au peuple français et la former au gouvernement de ce pays. Il faut avoir vu de près ce grand prince, dans les scènes de cette éducation royale, dans les incidents divers de ce professorat suprême, pour comprendre ce que la tendresse d'un époux et d'un père peut gagner en puissance et en noblesse, quand les inspirations de la politique échauffent elles-mêmes les affections naturelles du cœur humain. On ne saura jamais à quels efforts de sagesse et de patience, à quelles habiletés du cœur et de l'esprit il dut l'avantage de donner à une belle et brillante jeune femme, avide des distractions de la vie élégante, le goût des affaires sérieuses. De son côté, l'Impératrice était à la hauteur des leçons de son auguste époux. Le monde sait avec quelle énergie elle comprend ses devoirs de souveraine, avec quel courage elle se jette au-devant du péril, quand une occasion se présente de témoigner sa sympathie aux misères du peuple. On connaît ses élans chevaleresques, sa grandeur d'âme, son esprit, ses vertus privées, et chacun comprend ce qu'elle saurait montrer de résolution, d'audace, si des circonstances graves réclamaient d'elle le rôle d'une héroïne.

En présence de si brillantes qualités, il était donc doublement convenable d'initier l'Impératrice aux affaires du pays, de lui faire connaître les hommes et les choses, de l'entourer de personnes expérimentées, versées dans l'étude des sciences politiques, de lui apprendre surtout à juger les événements présents, enfin de la préparer au rôle qu'elle pouvait être appelée à remplir un jour. Sous ce rapport, on peut dire que l'éducation royale donnée à l'Impératrice a pleinement réussi, car tous ceux qui ont approché Sa Majesté savent combien elle a su profiter des leçons de son auguste époux pour se rendre familières les questions les plus élevées de la politique.

Mais on se le demande, cette pensée si juste, si naturelle de l'Empereur dans l'intérêt d'une régence éventuelle, n'a-t-elle pas été exagérée dans la pratique ?

Duc de PERSIGNY, Mémoires, 1896

Plus loin, quand il énumère les torts que l'on attribue à l'Impératrice, Persigny ne manque pas d'affirmer qu'il s'agit là d'une *injustice révoltante*. Il faut ce qu'il faut...

Correspondance féminine

Beaucoup de manuels continuent à opposer « correspondance d'homme » et « correspondance de femme ». De nos jours, l'opposition est moins entre les gracieux épanchements des femmes et les lettres d'hommes, polies et raisonnables, qu'entre la correspondance professionnelle et officielle et les lettres de caractère amical et intime. Les femmes adopteront, dans leur correspondance professionnelle, un style et des formules qui seront sensiblement les mêmes que ceux de leurs collègues masculins. Néanmoins, une femme n'écrit jamais « J'ai l'honneur de » (sauf dans le cas d'une demande à un ministre) ; un homme enverra ses hommages à une femme, une femme n'envoie jamais d'hommages... Certaines écoles veulent qu'une femme n'envoie jamais de « sentiments » à un homme, sous prétexte que cela pourrait prêter à des interprétations peu conformes à la décence ! Mais les « souvenirs » (bons, meilleurs, les meilleurs) sont admis.

En principe, une femme n'exprime pas non plus de « respect » à un homme, à moins qu'il ne soit très âgé et très éminent, ou membre du clergé. Elle pourra, dans ce dernier cas, parler de son « profond respect ». Au siècle dernier, une dame envoyait ses « compliments », ses « meilleurs compliments » (aux professeurs de ses enfants, par exemple). Cette formule, riche de politesse distante, est tombée en désuétude, ce qui peut être une raison pour la remettre en honneur. Qui ne serait flatté de recevoir les compliments d'une dame ?

La table

C'est à table que l'être humain espère se distinguer de l'animal, et que chaque classe sociale essaie de se distinguer de celles qu'elle considère comme inférieures. La façon d'inviter quelqu'un à se joindre à nous autour d'une table, la façon de le traiter, de le servir, la façon dont cette personne doit, en retour, se conduire et se tenir, tout cela a fait l'objet, au cours des siècles, d'innombrables recommandations et prescriptions.

L'invitation

Voici la façon dont en 1630, à la Cour, on pouvait dire à un ami : « Viens donc casser la croûte avec moi un de ces soirs », ainsi que la manière dont il devait répondre, s'il était bien élevé :

ALCANDRE. — *Monsieur, si vous me vouliez obliger de beaucoup, vous me feriez l'honneur de venir prendre un petit dîner avec moi.*

CLORIMAN. — *Monsieur, je vous remercie de bien bon cœur, je n'ai point mérité tant d'honneur de votre courtoisie, mais je vous prie de m'excuser pour cette fois.*

ALCANDRE. — *Pourquoi, Monsieur, vous me ferez bien cette faveur, s'il vous plaît, et je vous servirai, en récompense, partout où il vous plaira m'employer.*

CLORIMAN. — *Monsieur, vous êtes trop courtois, et trop persuasif pour vous éconduire, mais je vous donnerai de l'incommodité.*

ALCANDRE. — *Vous ne sauriez, Monsieur, mais vous me ferez beaucoup plus d'honneur que je ne saurais mériter en votre endroit.*

CLORIMAN. — *Monsieur, traitez-moi donc comme votre serviteur, je vous en prie, car ce n'est pas avec moi qu'il faut user de cérémonies !*

ALCANDRE. — *Ce n'est pas que j'aie chose digne de vous retenir à dîner, mais il n'y a remède ; si, faut-il que vous exerciez un peu de votre patience avec moi, comme avec votre ami qui vous en supplie.*

Claude JAUNIN, 1630

De nos jours, une invitation peut se faire de mille et une façons, de vive voix, par téléphone : « Vous nous feriez plaisir en étant des nôtres mercredi soir » ou « Seriez-vous libre vendredi soir ? » Un déjeuner ou un dîner est dit « prié » quand les invitations sont faites par correspondance, sans que cela soit pour autant un repas officiel. On aura quelque chose comme :

« Monsieur et Madame X prient Monsieur et Madame Y de leur faire l'honneur de venir dîner chez eux le 25 mars à 20 h 30... »

(cette invitation se fait sur carte de visite).

La réponse sera formulée ainsi :

« Monsieur et Madame Y remercient Monsieur et Madame X de leur aimable invitation et auront l'honneur de s'y rendre. »

L'invitation à un déjeuner ou dîner plus intime remplace « l'honneur » par le « plaisir » :

« Monsieur et Madame X prient Monsieur Z de leur faire le plaisir de venir déjeuner le... »

La réponse de Monsieur Z contiendra un remerciement et l'expression du plaisir qu'il aura...

Une réponse négative pourrait se formuler ainsi :

« Monsieur Z présente ses respectueux hommages à

Madame Y et regrette infiniment d'être empêché de profiter de la bonne invitation qui lui est adressée. Il quitte Bordeaux le... »

Il n'y a pas si longtemps, dans certains milieux provinciaux, quand l'invitation à un dîner portait, au bas, la mention « Monseigneur sera des nôtres », les dames savaient qu'elles ne devaient pas porter de toilettes décolletées...

Autre formule d'invitation, plus concise :

Monsieur et Madame H

  Mercredi 25 mars
  Dîner 20 h 30

          Smoking
        (ou cravate noire)

Il va de soi que la personne invitée doit répondre immédiatement, soit par une carte :

Madame Françoise P.

remercie Madame H. de son aimable invitation,
à laquelle elle se rendra avec plaisir.

soit par une lettre :

Chère Madame,

Mon mari et moi sommes désolés de ne pouvoir nous rendre à votre aimable invitation. Nous devons aller à Lyon ce jour-là, pour assister au mariage de notre nièce.

Avec tous mes regrets, recevez, chère Madame, l'assurance de mon meilleur souvenir.

                              Françoise P.

Passer à table

Aussitôt l'ordre de servir donné, dans un vaste déclic giratoire, multiple et simultané, les portes de la salle à manger s'ouvrirent à deux battants ; un maître d'hôtel qui avait l'air d'un maître des cérémonies s'inclina devant la princesse de Parme et annonça la nouvelle : « Madame est servie », d'un ton pareil à celui dont il aurait dit : « Madame se meurt », mais qui ne jeta aucune tristesse dans l'assemblée, car ce fut d'un air folâtre, et comme l'été à Robinson, que les couples s'avancèrent l'un derrière l'autre vers la salle à manger, se séparant quand ils avaient gagné leur place où des valets de pied poussaient derrière eux leur chaise...

PROUST, *Le Côté de Guermantes*

On pourrait penser que ce dîner se donne chez la princesse de Parme. Mais non. La scène se passe chez M. et Mme de Guermantes. Si le maître d'hôtel s'incline devant la princesse, c'est que lorsqu'on reçoit une haute personnalité ou bien une personne très titrée, on doit l'honorer en lui marquant qu'elle est chez elle. Ainsi dans un dîner où l'on reçoit un chef d'État, un ministre, un prince..., c'est à lui que s'adresse le maître d'hôtel en disant : « Monsieur le Président (ou Monsieur le Ministre) est servi », « Son Altesse Royale est servie ». Dans ce cas, la personnalité préside la table.

Les places

En France, les invités d'honneur sont placés à droite du maître et de la maîtresse de maison qui président, au milieu de la table, l'un en face de l'autre. S'il y a plusieurs invités de marque, les maîtres de maison pourront se trouver confrontés à de délicats problèmes,

surtout si leurs invités sont connus pour être pointil-
leux sur les honneurs qui leur sont dus. La plupart des
manuels de savoir-vivre regorgent de casse-tête de ce
genre : comment faire si l'on doit recevoir un évêque,
un amiral, le préfet et trois artistes de renommée
mondiale ?... Le mieux est probablement de ne pas
inviter le même jour tous ces hôtes de marque, à moins
d'y être obligé.
On donnera souvent la préséance à l'âge ou bien à celui
ou celle que l'on invite pour la première fois. Il y a une

infinité de combinaisons possibles, sauf dans un milieu parfaitement homogène où il ne peut y avoir, en principe, aucun doute sur l'ordre dans lequel les invités s'aligneront le long de la table, depuis le « haut bout » c'est-à-dire le milieu de la table, où sont les places d'honneur, jusqu'au « bas bout ». Le « bas bout » est réservé à la famille et aux invités les moins considérables. Certaines personnalités sont, de par leur rang, chez elles partout. Elles président donc automatiquement la table à laquelle elles se trouvent. C'est le cas, par exemple, pour un préfet dans son département, sauf s'il accompagne un ministre en exercice. Toutes ces règles ont pour origine le protocole de l'Ancien Régime. On sait avec quelle rigoureuse exactitude était réglée, à la cour du Roi Soleil, la façon dont prenaient place les courtisans et leurs épouses, tant à table qu'à l'église, au théâtre, aux mariages, aux enterrements, aux audiences variées et partout où recevaient le roi et la reine. On sait les trésors de flatterie, d'ingéniosité et de ruse que les princes et les ducs déployaient pour assurer à leurs épouses le droit d'avoir une chaise (honneur très rare) plutôt qu'un tabouret, un tabouret plutôt qu'un simple carré de velours posé par terre. Les dames elles-mêmes n'hésitaient pas à en venir aux mains pour défendre la place qui leur était due, ou pour prendre de force celle qu'elles estimaient devoir leur revenir. Ainsi, le mardi 6 janvier 1699, à l'audience qu'eut Milord Jersey de la duchesse de Bourgogne. Saint-Simon raconte ainsi l'incident :

Les duchesses, qui s'étaient trouvées les plus diligentes, se trouvèrent les premières à la porte et entrèrent les premières. La princesse d'Harcourt et d'autres Lorraines suivirent. La duchesse de Rohan se mit la première à droite. Un moment après (...), la princesse d'Harcourt se glisse derrière la duchesse de Rohan, et lui dit de passer à gauche. La duchesse de Rohan répond qu'elle se trouvait

bien là, avec grande surprise de la proposition, sur quoi la
princesse d'Harcourt n'en fait pas à deux fois, et grande et
puissante comme elle était, avec ses deux bras lui fait faire
la pirouette, et se met en sa place. Madame de Rohan ne
sait ce qui lui arrive, si c'est un songe ou vérité, et, voyant
qu'il s'agissait de faire tout de bon le coup de poing, fait la
révérence à Mme la duchesse de Bourgogne et passe de
l'autre côté...

Nombreux étaient ceux qui assistaient aux repas de
Louis XIV mais peu s'asseyaient à sa table. Il avait
coutume d'avoir à sa table les princesses et les duchesses. A Marly, toutes les dames qui avaient été
invitées à faire le voyage mangeaient à la table du roi.
Et elles ne se plaçaient pas au hasard :

Les princesses du sang se plaçaient à droite et à gauche en
leur rang ; les duchesses et les autres princesses comme elles
se trouvaient ensemble, mais joignant les princesses du sang
et sans mélange entre elles d'aucunes autres ; puis les dames
non titrées achevaient le tour de la table, et Mme de
Maintenon parmi elles vers le milieu.

SAINT-SIMON

Le roi ne souffrait pas que ces dames fussent placées
dans un autre ordre :

A un dîner, je ne sais comment il arriva que Mme de Torcy
se trouva auprès de Madame, au-dessus de la duchesse de
Duras, qui arriva un moment après. Mme de Torcy, à la
vérité, lui offrit sa place, mais on n'en était déjà plus à les
prendre, cela se passa en compliments, mais la nouveauté
du fait surprit Madame et toute l'assistance qui était debout
et Madame aussi. Le roi arrive et se met à table. Chacun
s'allait asseoir, comme le roi, regardant du côté de
Madame, prit un sérieux et un air de surprise qui
embarrassa tellement Mme de Torcy qu'elle pressa la
duchesse de Duras de prendre sa place, qui n'en voulut
rien faire encore une fois ; (...)

Au sortir de table, on passa à l'ordinaire chez Mme de Maintenon. A peine le roi y fut-il établi dans sa chaise, qu'il dit à Mme de Maintenon, qu'il venait d'être témoin d'une insolence (ce fut le terme dont il se servit) incroyable et qui l'avait mis dans une telle colère qu'elle l'avait empêché de manger, et raconta ce qu'il avait vu de ces deux places ;

Ibid.

On aurait tort de croire qu'aujourd'hui ces questions ont perdu toute importance.

Il peut encore arriver ce qui s'est passé naguère dans un port militaire français, au cours d'un dîner de femmes d'officiers. La femme du Colonel qui commandait le département avait à recevoir la femme du Général commandant la région. Devaient également assister à ce déjeuner la femme du Général commandant la ville, la femme du préfet, la femme de l'Amiral et plusieurs autres dames. Dans une telle circonstance, la hiérarchie des places est bien définie : le Général commandant une région est chez lui partout dans cette région et, par conséquent, il fallait placer son épouse comme si c'était elle la maîtresse de maison, c'est-à-dire en tête de table avec, à sa droite, la préfète et à sa gauche la véritable maîtresse de maison. Les autres dames devaient être placées en face : la femme du Général commandant la ville au milieu, entre la femme de l'Amiral à sa droite et la femme d'un Général d'Aviation à sa gauche.

Hélas... la malheureuse Colonelle prit place au milieu de la table ; à sa droite elle plaça la femme du Général commandant la région et à sa gauche l'épouse du Général commandant la ville...

Le déjeuner fut glacial et plus tard le Colonel dut subir, de la part du Général dont l'épouse avait été lésée, une « mise au point » fort désagréable.

Le service

On sert d'abord les dames, par ordre de préséance (la maîtresse de maison est servie la dernière), puis les messieurs, dans le même ordre. A titre d'exemple, on trouve l'anecdote suivante, sous des formes variées, dans plus d'un manuel. Voici la version qu'en donne Raymond Lindon (1971) :

Talleyrand avait l'habitude, quand il recevait, de couper lui-même le rôti et de garnir l'assiette de chacun des convives, à qui un valet allait la porter. Il suivait alors l'ordre décroissant des préséances de façon éloquente :
— Son Altesse me fera-t-elle l'honneur d'accepter une tranche de rôti ?
— Monsieur le Duc, puis-je me permettre de vous offrir un morceau de ce rôti ?
— Comte, acceptez-vous du rôti ?
et, en hélant le dernier au bout de la table :
— Rôti ?

L'élémentaire propreté

Au Moyen Âge, la tenue à table revêtait une importance particulière, les banquets étant le centre de la vie sociale. La littérature, les mémoires et même la peinture abondent en descriptions de banquets. Au XIIᵉ siècle, le comportement à table fait déjà l'objet de plusieurs traités, en latin, en allemand, puis en anglais et en français. Les règles que donnent ces traités nous font sourire : ne pas, si possible, se servir de la même cuiller que son voisin, ne pas recracher dans le plat, ne pas y mettre l'os que l'on vient de ronger, ne pas tremper dans la sauce un morceau de pain dans lequel on a déjà mordu, ne pas se râcler la gorge en se mettant à table ni se moucher dans la nappe... On croirait lire des conseils à de très petits enfants mais c'est bien aux adultes qu'ils s'adressent, à des adultes qui évoluent dans l'entourage des grands seigneurs.

Jusqu'au milieu du XVᵉ siècle, ces grands seigneurs ont peu de vaisselle. On mange et boit dans des récipients communs, en se servant des mains, parfois du couteau pour les aliments solides, tels que la viande.

Au XVIᵉ siècle, encore, la pénurie est grande ; Montaigne doit avouer qu'il ne boit *pas volontiers en verre commun*. Le linge de table en revanche est abondant : il faut bien que les mains soient nettoyées de la graisse et de la sauce qui les couvrent jusqu'au poignet. Montaigne se passait volontiers de nappe mais non pas de serviette blanche, ainsi qu'il avait vu faire aux Allemands :

Je les souille plus qu'eux et les Italiens ne font et m'aide peu de cuiller et de fourchette. (Essais, 1571-1592)

Avant le repas, les convives se lavaient les mains dans des bassins à laver ou aiguières qui leur étaient apportés et présentés par ceux qui servaient à table. Non seulement plusieurs convives se lavaient dans le même bassin, mais c'était un grand honneur que de « laver » avec une personne de qualité. Ainsi :

S'il arrive qu'une personne de qualité vous retienne à manger, c'est une incivilité de laver avec elle, sans un commandement exprès, auquel cas il faut observer que s'il n'y a point d'Officier pour prendre la serviette dont on s'est essuyé, il faut la retenir, et ne pas souffrir qu'elle demeure entre les mains d'une personne plus qualifiée.

COURTIN, 1671

On dit que la Grande Mademoiselle ne put jamais se résoudre à « laver » avec Louis XIV tant celui-ci lui en imposait... Les aiguières étaient très riches, très ouvragées, en métaux précieux. Après le repas, les bassins à laver étaient apportés de nouveau. De là vient l'usage moderne des rince-doigts, dans les dîners très élégants. Mais, de nos jours, il y en a un par personne.

La fourchette

Les fourchettes firent leur apparition en France à la fin du Moyen Âge. Elles existaient certainement depuis longtemps, mais les Européens ne semblent pas avoir ressenti le besoin d'en répandre l'emploi. Bien plus, utiliser une fourchette passa, en certaines occasions, pour un terrible péché d'orgueil ! Ainsi cette histoire de la princesse grecque du XIᵉ siècle, épouse d'un doge vénitien ; elle avait dans son trousseau des « petites fourches en or à deux dents » dont elle se servait pour porter les aliments à sa bouche, ainsi qu'on le faisait dans les milieux byzantins auxquels elle appartenait :

Ce fut un scandale si abominable, cette nouveauté passa pour une marque de raffinement si outré, que la dogaresse fut sévèrement objurguée par les ecclésiastiques qui attirèrent sur elle le courroux divin. Peu après, elle était atteinte d'une maladie repoussante et Saint Bonaventure n'hésita pas à déclarer que c'était un châtiment de Dieu. Olivier Maillard, le terrible prédicateur, fulminait encore, trois siècles plus tard, contre la pécheresse... CABANÈS, 1929

Donc, pendant le Moyen Âge, les doigts furent la seule fourchette. Celle-ci fit d'abord de timides apparitions. En 1379, la duchesse de Touraine avait neuf douzaines de cuillers d'argent et deux fourchettes... Les fourchettes ne servaient que pour les fruits, ou pour des mets exceptionnels. Jamais pour la viande. La femme de Charles le Bel possédait, dit-on, une fourchette, Charles VI en possédait trois.

Ce fut Henri III (1551-1589) qui répandit en France l'usage des fourchettes. On commença par beaucoup se moquer des « mignons » du roi et de leurs fourchettes. On trouvait qu'en se servant de cet instrument, ils faisaient preuve d'une affectation qui n'était pas du meilleur goût. D'autant que, disaient les mauvaises langues, ils étaient si malhabiles qu'ils faisaient tomber sur leurs genoux plus d'aliments qu'ils n'en portaient à leur bouche. On aurait tort de penser qu'après cela, la fourchette fut rapidement adoptée par tout le monde. A la table de Louis XIV, le Roi fut longtemps le seul à employer une fourchette. Les autres convives se servaient de leurs couteaux et de leurs doigts.

Les manières de table : un passé ténébreux

Au XVIe siècle, Érasme de Rotterdam s'attarde longuement, dans son traité *De la Civilité puérile* (1530), sur
des détails que l'on ne trouverait plus dans des manuels
d'aujourd'hui, tant ces choses nous semblent acquises,
ou du moins du domaine de la petite enfance :

*Avant de boire, achève de vider ta bouche et n'approche
pas le verre de tes lèvres avant de les avoir essuyées avec ta
serviette ou avec ton mouchoir, surtout si l'un des convives
te présente son propre verre ou si tout le monde boit dans la
même coupe.*

*Il y a des gens qui, à peine assis, portent la main aux plats.
C'est ressembler aux loups...*

*Lécher ses doigts gras ou les essuyer sur ses habits est
également inconvenant ; il vaut mieux se servir de la nappe
ou de la serviette.*

*S'ingurgiter, d'un coup, de gros morceaux, c'est le fait des
cigognes ou des goinfres.*

*C'est chose peu convenable que d'offrir à un autre un
morceau dont on a déjà mangé. Tremper dans la sauce du*

pain qu'on a mordu est grossier ; de même, il est malpropre de ramener du fond de la gorge des aliments à demi mâchés et de les remettre sur son assiette.

Il y en a qui dévorent, plutôt qu'ils ne mangent, comme des gens que l'on va mettre en prison tout à l'heure ; les filous mangent de la sorte ce qu'ils ont volé. D'autres engloutissent d'une seule fois de si gros morceaux, qu'ils s'enflent les joues comme des soufflets ; d'autres, en mâchant, ouvrent tellement la bouche, qu'ils grognent comme des porcs. D'autres mettent tant d'ardeur à dévorer, qu'ils soufflent des narines, en gens qui vont suffoquer. Boire ou parler la bouche pleine est incivil et dangereux.

Quel joli tableau que ces loups, ces cigognes, ces porcs attablés devant des soupières où ils plongent tous ensemble leurs mains bien grasses !

Ces comparaisons avec des animaux variés, Érasme n'est pas le premier à les faire. On les trouve déjà dans un texte antique qui fut une des sources d'Érasme : *Le Pédagogue,* de Clément d'Alexandrie, auteur chrétien qui vécut vers 200 après J.-C. :

Est-il bien nécessaire de se redresser sur son lit pour jeter presque son visage sur les plats ? N'est-il pas déraisonnable de tremper les mains dans les assaisonnements ou de les

tendre continuellement vers le plat, non pas comme si on en
voulait goûter, mais comme pour en arracher les aliments,
sans souci de la modération ni de la bienséance ? On peut
constater en effet que ceux qui font cela ressemblent par
leur voracité plus à des porcs et à des chiens qu'à des
hommes. Ils ont tellement hâte de se rassasier qu'ils
distendent à la fois les deux joues pour porter à la bouche
des récipients où disparaît leur visage et que, en outre, la
sueur ruisselle sur eux, tant ils sont oppressés par le désir
insatiable et haletant d'intempérance. Ils poussent et
bourrent la nourriture pêle-mêle dans le ventre, tout comme
s'ils apportaient des aliments pour constituer des provisions
et non pour être digérés.

Le passage qui suit, également tiré du *Pédagogue,* est
particulièrement intéressant parce qu'on y trouve
exprimée l'idée qu'en fin de compte, le véritable but
des bonnes manières, ou des bienséances, est de
permettre aux hommes — et aux femmes — de se
montrer dignes de Dieu. Cette idée est la clef de voûte
de nombreux ouvrages de civilité et de bienséances,
jusqu'à la fin du XVIIᵉ siècle.

C'est, pour une femme, manquer totalement d'élégance que
de boire en tenant les lèvres soigneusement serrées sur
l'ouverture des petits vases d'albâtre, en rejetant la tête en
arrière et en découvrant le cou, à mon avis sans beaucoup
de décence. Elles distendent la gorge pour déglutir, avalent
comme si elles faisaient découvrir aux convives tout ce
qu'elles peuvent, et lancent des rots d'homme, ou plutôt
d'esclave... Il ne convient pas de faire du bruit en buvant,
ni à un homme raisonnable, encore moins à une femme...

L'air qui doit remonter en un rot doit donc être amené à
sortir tout doucement... C'est toujours avec la pensée que le
Seigneur est présent qu'il faut régler notre conduite, de
peur que, à nous aussi, peut-être, comme aux Corinthiens,
l'Apôtre n'adresse ces mots irrités : « Quand vous vous
réunissez, il n'est pas possible que vous preniez le repas du
Seigneur !

De la dignité dans la malpropreté

Rien dans les manières de table ne va de soi, rien ne peut être considéré comme le résultat d'un sentiment de gêne naturel, écrit Norbert Élias (1969).

Les préoccupations d'hygiène et de propreté, essentielles de nos jours, furent longues à apparaître et ne vinrent qu'après le souci de marquer les préséances.

Ainsi, le courtisan qui fait sa cour ne trempera pas ses doigts dans la sauce avant que plus noble que lui n'y ait trempé *les siens* :

Si chacun prend au plat, il faut bien se garder d'y mettre la main, que les plus qualifiés ne l'y aient mise les premiers...

COURTIN, 1671

La suite du texte semble indiquer que le partage intime de la saleté commençait, au XVIIe siècle, à susciter quelque répugnance :

Il est nécessaire aussi d'observer qu'il faut toujours essuyer votre cuiller quand, après vous en être servi, vous voulez prendre quelque chose dans un autre plat, y ayant des gens si délicats qu'ils ne voudraient pas manger du potage où vous l'auriez mise, après l'avoir portée à la bouche.

On plaint ces « délicats »...

A la fin du XVIIe siècle, La Salle (1695) écrit encore :

Lorsque les doigts sont fort gras, il est à propos de les dégraisser d'abord avec un morceau de pain, qu'il faut ensuite laisser sur l'assiette avant que de les essuyer à sa serviette afin de ne pas la beaucoup graisser, et de ne pas la rendre malpropre.

Lorsque la cuiller, la fourchette ou le couteau sont sales, ou qu'ils sont gras, il est très malhonnête de les lécher, et il n'est nullement séant de les essuyer, ou quelque chose que ce soit, avec la nappe ; on doit dans ces occasions et autres semblables, se servir de la serviette...

La notion de respect de soi — et d'autrui — a bien changé. Ce courtisan du XVIIe siècle, que nous imaginons si élégant, qui sait — en principe — jouer du chapeau avec une dextérité qui touche à l'acrobatie (car il doit « se découvrir en offrant une assiette à une personne de qualité pour la première fois » et encore se découvrir chaque fois qu'une personne qui lui est supérieure lui offre d'un plat), ce même courtisan se voit pourtant rappeler que, s'il éprouve le besoin de cracher lorsqu'il est à table, il faut éviter, en le faisant, de salir les vêtements de son voisin : le mieux est de cracher discrètement à terre et, si le crachat est gros, de poser aussitôt le pied dessus. En outre, lui dit-on,

il est incorrect de se nettoyer les dents devant le monde, avec le couteau ou la fourchette... Et il n'y a que les gens grossiers qui, voulant se laver la bouche à table, se mettent le doigt dedans, pour se frotter, et qui après avoir fait une assez laide grimace, rejettent l'eau sur leur assiette. Comme cela a l'air de vomissement, il est des personnes très délicates qui sont outrées de ces manières.

LA SALLE, *ibid.*

On lui conseille également de ne pas venir à table avec des mains repoussantes de saleté, afin de ne pas dégoûter ceux avec qui il partagera une aiguière... Enfin, on ne juge pas inutile de lui faire

observer aussi que c'est une chose très malhonnête quand on est à la table d'une personne que l'on veut honorer, de serrer du fruit ou autre chose dans sa poche ou dans sa serviette pour l'emporter.

Ibid.

... un présent minutieux

De nos jours, on suppose que chacun, dans son enfance, a plus ou moins appris à se servir convenablement de ses couverts et qu'il ne vient à l'idée de personne de se moucher dans la nappe ni de faire chez ses hôtes ses provisions pour le lendemain... Les manuels modernes se contentent de rappeler quelques principes :

Ne pas commencer à manger avant la maîtresse de maison.

Ne pas accrocher sa serviette autour de son cou (comme cela se faisait communément il n'y a pas si longtemps) mais la poser à plat sur ses genoux. Ne pas la replier quand on sort de table.

Ne pas mettre ses coudes sur la table, mais seulement les mains. Ne pas non plus poser les mains sur les genoux, ainsi que cela se fait dans les pays anglo-saxons.

Ne pas parler la bouche pleine. S'essuyer la bouche avant de boire. Ne pas souffler sur son potage pour le faire refroidir.

Ne pas, bien sûr, se sucer les doigts ni ronger les os. Être aimable avec ses deux voisins ou voisines et pas seulement avec celui qui est intéressant ou celle qui est jolie...

Rompre son pain. La coutume de ne pas le couper nous vient de l'ancienne Cour. Certains y voient des raisons d'ordre pratique :

Parce que des particules de la croûte pourraient, sous l'effort du couteau, sauter dans les yeux des voisins, sur les épaules nues des voisines.

STAFFE, 1889

Érasme (1530) voyait là une « délicatesse qu'il faut abandonner à certains courtisans ». Il recommandait, pour sa part, de couper le pain.

On ne porte jamais un couteau à sa bouche et, quand on doit en tendre un à une personne, on le fait en tenant la pointe tournée vers soi. Quand on sait qu'au Moyen Âge le couteau était pratiquement le seul instrument de table et que l'usage de le porter à la bouche était général, on peut penser, comme N. Elias (1973), qu'au fur et à mesure que la société se pacifie et que les mœurs s'adoucissent, « la vue d'un couteau tourné vers un visage humain fait peur ».

Il y a des milieux et des circonstances où l'on ne pèlera un fruit (poire, pêche...) qu'avec son couteau et sa fourchette, sans y mettre les doigts. Les pépins et les noyaux ne sont plus obligatoirement crachés dans la petite cuiller, comme au début du siècle. On peut les cracher — discrètement — dans le creux de sa main avant de les déposer sur son assiette à dessert.

A notre époque, où chacun possède un mouchoir, souvent en papier d'ailleurs, il est parfaitement admis que l'on se mouche à table. Nous pouvons suivre le conseil de la baronne Staffe (1889), bien que les termes qu'elle emploie pour le donner soient un peu désuets :

... on tirera son mouchoir de sa poche furtivement, et on s'en servira tout doucement et même sans bruit, de manière à n'éveiller chez le voisin aucune idée désagréable et naturaliste.

Et la baronne poursuit :

Par la raison qu'on doit se garder d'attirer l'attention en cette circonstance, il ne faut pas se retourner, pour se moucher, comme font les ignorants de la science mondaine, lesquels agissent en vertu d'une civilité puérile et villageoise, à la façon de ceux qui regardent l'ourlet de leur mouchoir, de crainte de se moucher à l'endroit. Ce sont les choses qui vous font immédiatement coter *dans le monde, qui vous classent tout de suite dans l'esprit des gens chics.*

Car c'est bien de cela, en effet, qu'il s'agit : être accepté — ou non — parmi les « gens chics » ! Les « bonnes manières » ne visent plus ici à distinguer le chrétien du sauvage ou à ne pas incommoder son voisin, mais à assurer la réussite dans la vie sociale aussi bien que privée. Le premier faux-pas est un révélateur impitoyable et permet d'écarter celui qui s'aventurerait dans un monde qui n'est pas le sien. Ainsi, dans un roman de P. G. Wodehouse, une jeune fille de grande famille s'est éprise d'un jeune homme d'un milieu plus modeste. Loin de s'opposer ouvertement à l'idylle de sa fille, le père de la jeune personne invite le prétendant à venir passer un week-end dans la demeure ancestrale. Tout est dit, dès le premier soir. Avant même la fin du dîner, le jeune homme s'est irrémédiablement déconsidéré aux yeux de la belle (c'est le maître d'hôtel qui raconte ainsi l'histoire) « par un choix de fourchette... malencontreux ».

Il faut dire qu'en Angleterre, où tous les couverts sont placés autour de l'assiette dès le début du repas, l'erreur est facile pour celui qui n'est pas initié. Encore que la règle générale, tant pour l'Angleterre que la France, veuille que l'on commence toujours par les couverts les plus éloignés de l'assiette. Fort heureusement, les choses sont facilitées en France par l'habitude très répandue de changer les couverts en même temps que l'assiette au lieu de les poser à l'avance.

La meilleure part

Moralistes et professeurs de bonnes manières tentent de remédier à l'égoïsme foncier de leurs élèves, ou du moins de le camoufler, en les exhortant à ne pas choisir, dans les plats qu'on leur présente, le plus beau ou le plus gros morceau, mais de prendre simplement celui qui est devant eux. Bien entendu, un courtisan qui dîne avec un prince, non seulement évitera de prendre les morceaux les plus appétissants mais il fera en sorte de les présenter au prince qu'il désire honorer. Tout le monde n'a pas cette délicatesse.

Une très vieille dame racontait que lorsqu'elle était jeune fille, à la fin du siècle dernier, elle avait eu plusieurs fois l'occasion de prendre le train avec ses parents. C'était encore le temps où, sur certaines grandes lignes, il y avait un arrêt-buffet pour laisser aux passagers, de première classe bien sûr, le temps de prendre, au buffet de la gare, un repas confortable. Ce repas était servi à la table d'hôte où les passagers d'un même train venaient s'asseoir au fur et à mesure de leur entrée dans la salle. Des domestiques passaient les plats. La jeune fille se trouva assise à côté d'un monsieur d'apparence distinguée. Or celui-ci, comme on lui présentait un plat d'asperges, prit son couteau, coupa délicatement toutes les têtes et les déposa dans sa propre assiette. Horrifiée, sa jeune voisine s'exclama : « Monsieur, que faites-vous donc ? » Et lui, tranquillement : « Mais, Mademoiselle, c'est le meilleur. »

Parler de ce qu'on mange

On se demande parfois s'il est de bon ton de complimenter une maîtresse de maison sur les plats qu'elle sert ou fait servir. Les avis sont partagés. S'extasier successivement sur le potage, les asperges, le rôti, etc. finira par paraître ridicule et même insultant pour la maîtresse de maison dont on a l'air de n'avoir pas soupçonné les talents. Par contre, au moment du dessert, s'exclamer : « Le délicieux soufflé ! » d'un air convaincu et gourmand fera très bon effet et amènera le résultat escompté : on vous proposera de vous resservir...

Sauf avec les convives très intimes, on ne redemande pas d'un plat. On n'imitera donc pas Monsieur de Norpois, à qui une gourmandise irrépressible inspire ce compliment d'une habileté un peu lourde :

Voilà ce qu'on ne peut obtenir au cabaret, je dis dans les meilleurs : une daube de bœuf où la gelée ne sente pas la colle, et où le bœuf ait pris parfum des carottes, c'est admirable ! Permettez-moi d'y revenir, ajouta-t-il en faisant signe qu'il voulait encore de la gelée.

PROUST, *A l'ombre des jeunes filles en fleurs*

Il peut arriver, à l'inverse, qu'on n'ait pas envie d'y revenir. En ce cas, mieux vaut décliner l'offre avec gentillesse et fermeté et ne pas faire comme ce maladroit jeune homme qui, pressé par son hôtesse de reprendre du gratin de macaroni (plat prosaïque, il est vrai), s'était longuement fait prier avant de céder enfin en s'exclamant : « Eh bien, Madame, je vais en reprendre, mais c'est bien parce que j'ai faim ! »

Les toasts

... tous se lèvent et, tendant à bout de bras leur verre, prononcent ensemble d'identiques paroles : une phrase exclamative dont les mots santé, mariée et marié forment l'armature.
Puis ils se rasseyent.

QUENEAU, Le Chiendent, 1933

Les toasts ne se portent plus guère qu'aux repas de noces, de baptême, à certains banquets officiels. C'est l'hôte qui propose le toast ou bien l'un des plus distingués ou des plus âgés parmi les invités.
La Baronne Staffe (1889) recommande les formules suivantes.

Pour un mariage :

Je bois au bonheur de la charmante épousée et de l'heureux mari, à leur prospérité...

Pour un baptême :

Je bois à la longue vie, au bonheur, à la prospérité de l'enfant qui vient d'entrer en ce monde et qui, dès à présent, peut nous compter pour ses amis. Je bois à ses heureux parents.

Libre à chacun de broder sur ces thèmes qui changent peu, d'un siècle à l'autre.
Trinquer n'est pas toujours de mise. C'est généralement entre amis assez proches qu'on observe cette coutume. On accompagnera ce geste des formules rituelles :
« A votre santé ! A la vôtre ! »
« A la tienne (Étienne...) ! » « A la bonne année ! »
« A votre bon retour ! » « A votre beau succès ! » etc., suivant l'événement que l'on fête.

Les conversations à table

MELON. *Joli sujet de conversation à table. Est-ce un légume ? est-ce un fruit ? Les Anglais le mangent au dessert, ce qui étonne.*

FLAUBERT, Dictionnaire des Idées reçues

Depuis le Moyen Âge jusqu'à nos jours, tout le monde est bien d'accord, la conversation à table doit être légère, agréable à tous, spirituelle si possible, car elle diffère de la conversation de salon en cela qu'on ne peut pas changer d'interlocuteur. Si la table est petite, la conversation sera générale. Il faut donc, plus encore que dans un salon, des sujets qui intéressent tous les convives et ne coupent l'appétit de personne. Érasme (1530) est formel :

Il ne faut rien dire à table qui puisse troubler la gaîté ; mal parler des absents est une chose abominable. Il faut se garder aussi de rappeler à personne un sujet de tristesse.

Pas de médisances, donc. D'autre part, les manuels recommandent d'éviter les discussions d'affaires, les polémiques, la politique, *source d'ennui pour les femmes et de mauvaise digestion pour les hommes* (Staffe, 1889), la religion. Aujourd'hui cet interdit s'efface quelque peu.

On ne parlera jamais de l'âge des dames, on ne se moquera ni des chauves, ni des obèses, on ne se plaindra pas de la paresse du personnel de maison. Quant à la maîtresse de maison, elle s'abstiendra, bien entendu, de se lamenter sur la cherté de la vie et surtout sur le coût de la nourriture :

Si on sert des primeurs, un monstre marin, des raisins de Perse ou des fruits exotiques, on se garde bien de dire à ses convives : « Ces fraises me coûtent telle somme ; j'ai payé cet esturgeon les yeux de la tête », etc.

STAFFE, ibid.

Mais alors, que reste-t-il ?
Le temps.

TEMPS. *Éternel sujet de conversation. Toujours s'en plaindre.*
ÉTÉ. *Toujours exceptionnel.*
CHALEUR. *Toujours insupportable. Ne pas boire quand il fait chaud.*
FROID. *Plus sain que la chaleur.*

FLAUBERT, ibid.

Il y a aussi la santé, les accouchements difficiles, les enfants, l'éducation, les mathématiques modernes, la baisse du niveau de l'enseignement dans le primaire, le secondaire, le supérieur... Le baccalauréat :
BACCALAURÉAT. Tonner contre.

FLAUBERT. ibid.

On peut encore se divertir en s'interrogeant sur l'origine de quelques vieilles expressions comme « le chien de Jean de Nivelle », « Ça tombe comme à Gravelotte », etc.
Si la table est grande (plus de huit ou dix personnes), on parlera surtout à ses voisins. Ou plutôt on les fera parler :

... C'est un moyen assuré de plaire à un homme entêté de sa qualité de lui donner occasion de parler de la Noblesse de ses Ancêtres, à un homme de guerre de raconter les Sièges et les Combats où il s'est trouvé, à un Négociateur de parler des Affaires qu'il a traitées, à un Voyageur des Pays qu'il a vus...

F. de CALLIÈRES, 1717

Ces conseils n'ont certainement rien perdu de leur valeur.

Les domestiques

Des « gens » ou des personnes ?

Il faut remarquer que de s'emporter contre son domestique, de l'injurier, de le battre en présence d'une personne à qui on est inférieur, ce serait tout à fait manquer de respect et témoigner pour elle un extrême mépris...

COURTIN, 1671

Ce n'est donc pas par humanité envers les domestiques que l'on recommandait de ne pas les battre ! De même, si l'on devait désigner les domestiques en termes aimables, ce n'était pas par respect pour eux, mais pour honorer ceux qu'ils servaient :

Et à propos de laquais, il est bon d'avertir que si on parle à une personne qui soit de qualité à avoir des valets de pied, c'est une incivilité choquante que de lui dire, par exemple, « un de vos laquais m'est venu dire, Monsieur, ou Madame, de vous venir voir ». Il faut dire, « un de vos valets de pied, etc. ». Ce n'est pas pour honorer le laquais, c'est pour honorer le maître.
Il en est de même des servantes à l'égard d'une Dame. « Votre demoiselle, votre fille, votre femme de chambre m'a dit, Madame, etc. » et non pas « votre servante ».

COURTIN, *ibid.*

On trouve sous la plume de la marquise de Lambert (1728), une idée bien différente, celle de « l'égalité naturelle des hommes » que les maîtres doivent se garder d'oublier. Madame de Lambert voudrait voir une certaine délicatesse gouverner les rapports entre maîtres et serviteurs. Elle l'exprime avec subtilité :

Accoutumez-vous à avoir de la bonté et de l'humanité pour
vos domestiques. Un ancien dit « qu'il faut les regarder
comme des amis malheureux ». Songez que vous ne devez
qu'au hasard l'extrême différence qu'il y a de vous à eux.
(...)
N'usez point de termes durs ; il en est d'une espèce qui
doivent être ignorés d'une personne polie et délicate. Le
service étant établi contre l'égalité naturelle des hommes, il
faut l'adoucir. Sommes-nous en droit de vouloir nos
domestiques sans défauts, nous qui leur en montrons tous les
jours ?

En fait, sous l'Ancien Régime, l'attitude des maîtres
envers leurs serviteurs variait du mépris absolu à la
plus chaude familiarité.

Au xviie siècle encore, les fils de famille remplissaient
chez leurs parents certaines fonctions domestiques,
comme de servir à table, ce qui les rapprochait des
serviteurs à proprement parler. La condition de « gentilhomme particulier », c'est-à-dire de gentilhomme au
service d'un autre plus titré, n'avait, à cette époque,
rien de déshonorant.

Théorie et pratique du paternalisme

Au xixe siècle, les domestiques ne font plus automatiquement partie de la famille. Plus de grandes salles
communes : les domestiques sont relégués à l'office et
à la cuisine. Les servantes de Molière, dont on aime
tant le franc-parler... sur scène, n'auraient plus eu leur
place dans les maisons bourgeoises du siècle dernier.
Une fois que la relation entre maîtres et domestiques a
perdu son caractère familial pour devenir un contrat,
les choses deviennent plus compliquées. Les manuels
du xixe siècle, ainsi que des manuels plus récents,
consacrent de longues pages à la façon dont on doit
choisir ses domestiques, leur parler, les traiter, les

congédier s'il le faut. Les conseils donnés par la Baronne Staffe (1889) ont pour but d'inculquer aux maîtresses de maison une attitude faite de réserve sans hauteur et de bienveillance sans familiarité :

Un homme ou une femme bien élevée ne dit jamais : « Faites ceci. Apportez-moi cela » ; mais : « Voulez-vous bien faire ceci ? Apportez-moi cela, s'il vous plaît. » Le domestique obéit toujours avec empressement et bonne volonté quand on lui ordonne de faire une chose en prenant un ton de douceur et de politesse.

Ces mêmes personnes ne se croient pas déshonorées, au contraire, pour remercier un domestique qui leur apporte quelque chose, qui leur rend un service direct.

Ibid.

La baronne Staffe fait un certain nombre de recommandations sur le genre de relations que les gens « bien élevés » doivent avoir avec leur personnel. Le lien social et affectif qui unit les maîtres et leurs domestiques n'étant plus du tout évident, et le contrat passé entre eux ne portant que sur le service proprement dit, la baronne entend suggérer comment on pourra à la fois se montrer humain et garder ses distances. C'est par de petites attentions que la maîtresse de maison se montrera vraiment grande dame :

J'ai vu souvent une maréchale, princesse du premier empire, très âgée, remettre de ses mains une bûche au feu. Elle ne manquait pourtant pas de laquais, mais elle estimait qu'il ne faut pas les déranger pour si peu.

STAFFE, ibid.

Une domestique se marie-t-elle ?

Une femme du plus haut rang ne se déshonore pas, en embrassant, après la cérémonie, la nouvelle mariée qui est sa cuisinière ou la femme de son cocher.

Ibid.

On tolère donc la sollicitude mais pas la familiarité !

Par exemple, rien n'est aussi vulgaire que d'écouter les cancans de ses gens. Il faut certainement leur parler en dehors du service, mais on fait bien de borner la conversation à certains sujets. On s'intéresse à leur famille, on les conseille pour le placement de leur argent, on les engage à faire des économies, on les guide autant qu'on peut dans toutes les circonstances de la vie.

Ibid.

Ainsi s'exprime, dans nombre de manuels du siècle dernier, la nostalgie d'une époque où les serviteurs étaient à la fois les dépendants et les protégés du père de famille, qui exerçait sur eux un contrôle presque absolu et les traitait en éternels enfants :

Nous nous soucions moins que les maîtres d'autrefois de nos domestiques et de leur amélioration morale.

Ibid.

Un être instinctivement pervers...

Cette moralisation des domestiques est un des thèmes préférés d'un certain nombre de manuels de la ménagère, dans la seconde moitié du siècle dernier. Les quelques extraits suivants sont des documents caractéristiques d'une idéologie ainsi que d'un style bien particuliers. Ainsi, ce passage tiré du *Manuel* de Madame Celnart en 1835. L'auteur énumère les crimes auxquels risque de se laisser aller le serviteur qui ne se surveille pas et que ses maîtres surveillent mal. D'abord l' « improbité » :

Un vol domestique ! le plus odieux, le plus lâche, le plus criminel de tous les vols, le plus sévèrement puni (il entraînait autrefois la mort) ; (...) Il n'est donc qu'un parti à prendre, ce parti est de chasser l'infidèle serviteur. Mais

endurci par ses fautes mêmes, par leur résultat, le
malheureux, de plus en plus coupable, ne finira-t-il pas, de
maison en maison, par la prison, le bagne, ou tout au
moins par l'hôpital ?

Viennent ensuite « le babillage, la paresse » (*Qu'ils*
sachent d'abord que la paresse est une véritable atteinte à
la probité.) et « l'inconduite » :

Quant à ces gouvernantes intéressées et basses, qui domi-
nent un vieux garçon au prix de leur honneur, bannissant
de chez lui parents, amis, connaissances, qui ont toujours
devant les yeux l'instant où le testament de leur esclave les
rendra riches, elles sont un peu moins coupables, mais
presque aussi dignes du mépris des hommes et du courroux
de Dieu, que les créatures que nous venons de signaler à
l'horreur des filles honnêtes.

Les « créatures » en question sont, bien sûr, les bonnes
qui ont avec leur patron ou son fils des relations
coupables et en tirent des avantages.

Ce qui domine, dans nombre d'ouvrages traitant de la
question des domestiques, c'est la terreur que ceux-ci
inspirent à leurs patrons et le désir de les maintenir
dans une sorte d'état d'enfance, pour ne pas dire de
castration. Ainsi, ce passage sur les « défauts à éviter
dans les plaisirs » :

Ce n'est pas toutefois que je veuille que les domestiques ne
puissent jamais s'amuser, et les maîtres raisonnables ne le
voudront pas plus que moi ; mais ces plaisirs doivent
toujours avoir pour but de reposer et non distraire des
travaux ; d'entretenir, d'exciter une joyeuse union entre les
domestiques, et non de les conduire à de vaniteuses
rivalités, à de bruyantes querelles, à d'insultantes moque-
ries ; de les réjouir doucement sans réveiller en eux les
regrets de la prévoyance, ou l'âpre calcul de l'avidité.
Ainsi, leurs plaisirs ne seront point trop prolongés, trop
fréquents.

CELNART, ibid.

Notre auteur (qui a peut-être un peu trop lu la
Nouvelle Héloïse de Rousseau) ne se fait pas faute de

donner des exemples de ces « plaisirs » qui délasseront les bons serviteurs sans les détourner de leurs devoirs :

Les distractions ordinaires des domestiques sont les conversations pendant les veillées d'hiver, les promenades pendant l'été. Bien dirigées, ces distractions peuvent être fort salutaires et contribuer puissamment à l'avancement moral. En effet, si réunis à quelques honnêtes voisins, à quelques modestes jeunes filles, on lit des ouvrages sages, amusants, tels que la Science du bonhomme Richard Simon, Simon de Nantua ; *les petits livres couronnés par la Société d'instruction élémentaire ; si l'on donne pour but à la promenade d'aller visiter une pauvre tante, une cousine, femme ou fille d'un pauvre cultivateur, l'on en reviendra plus prudent, plus économe, plus bienveillant, plus sage.*

Ibid.

Comme il est rassurant d'imaginer sa bonne passant son dimanche à « visiter une pauvre tante » !
Les plaisirs plus légers, où la gaieté, la jeunesse, le tempérament de la bonne trouveraient peut-être mieux leur compte, font frissonner d'horreur.

Dans les promenades, dans les rencontres qu'elles occasionnent, dans les réunions de famille, d'amis, les jeunes filles doivent principalement veiller sur elles-mêmes, car entre gens dont l'éducation est peu soignée, les plus simples badinages peuvent vite devenir d'inconvenantes, de dangereuses familiarités.

Ibid.

... sauvé par l'épargne

Si tous les manuels du siècle dernier conseillent aux maîtresses de maison de veiller à ce que leurs bonnes fassent des économies, celui de Madame Celnart est un véritable hymne à la caisse d'épargne !

Ô mes amis, songez-y bien, l'argent fuit pièce à pièce, comme le temps moment par moment. (...)

Vous ne sauriez trop bénir l'institution des caisses d'épargne... ces caisses paternelles où l'on reçoit, où l'on enregistre soigneusement (j'ai presque dit avec respect) les vingt sous du pauvre apprenti, de la petite bonne, de l'indigente vieille femme de ménage...

Ibid.

C'est que caisse d'épargne = vertu de la bonne, ainsi que le disent crûment ces recommandations à une servante désireuse de se marier :

A cela, femme consciencieuse, tu reconnaîtras que tu es vraiment appelée au mariage : si tu as appris, par de bons exemples, à être fidèle épouse et bonne mère ; — si tu peux donner à ton époux et à tes enfants des principes solides et inébranlables ; — si tu possèdes un trousseau suffisant qui te dispense de faire des achats coûteux, dans le temps où les économies sont de rigueur, aux premiers jours du mariage ; — si, durant de longues années, tu as fidèlement servi tes maîtres, et qu'ils puissent te faire honorer de ton mari, qui verra les regrets qu'excite ton départ ; — si ton carnet de caisse d'épargne accuse une réserve suffisante pour être considérée comme l'expression de ton caractère sérieux et de tes économies.

Madame SUÈS-DUCOMMUN, 1895

PRENEZ JAMES POUR LA CAISSE D'ÉPARGNE = VERTU !..

« Madame est servie »

Au début de notre siècle, c'était l'habitude, dans certaines familles, de toujours appeler les bonnes ou les cuisinières du même nom, sans tenir compte de leur vrai nom :

Au moment de l'engager, Monsieur lui avait dit :
— Comment vous appelez-vous ?
— Marie.
— Ici on vous appellera Bobonne. C'est la coutume dans notre famille.

Madeleine LAMOUILLE, 1978

On invoquait pour cela des raisons variées : c'était trop fatigant pour « Monsieur » d'avoir à retenir un nouveau nom quand on changeait de bonne ; cela permettait de choisir une fois pour toutes un nom qui ne risquait pas d'être celui d'une invitée qui se serait sentie offensée d'avoir le même prénom que la bonne. On imposait donc aux bonnes les noms de Marie, Mélanie, Léonie ou Clémentine ; aux valets et aux jardiniers ceux de Firmin ou Baptiste.

Bien entendu, les bonnes parlaient à la troisième personne à leurs patrons qui, eux, les vouvoyaient : si bien que la « troisième personne » était devenue le symbole même de la condition de domestique :

Je me rendis compte qu'il affectait de me parler comme à un égal. Il avait à dire « vous », et le moins souvent possible « Monsieur », le plaisir de quelqu'un dont le père n'avait jamais employé, en s'adressant à mes parents, que la « troisième personne ».

PROUST, Le Côté de Guermantes

Cette pratique est toujours de règle dans certains milieux. Ainsi dans son chapitre intitulé « Conseils aux employés de maison », Jacques Gandouin écrit (1972) :

Il faut surveiller votre langage, ne jamais crier, ne pas laisser échapper de mots grossiers, vous exprimer distinctement, mais sans hausser la voix, et parler à la troisième personne. On dit : « Madame est servie ; Madame veut-elle une tasse de thé ? M. Durand a téléphoné à Monsieur ; Monsieur m'a prié de dire à Madame qu'il ne rentrera pas dîner ce soir et que Madame veuille bien l'excuser », et non : « Vous êtes servie ; Voulez-vous une tasse de thé ? M. Durand vous a téléphoné », etc.

Lorsque Monsieur et Madame reçoivent des personnes de la noblesse ou qui occupent une haute situation, vous devez les appeler par leur titre et dire, par exemple : « Je préviens Monsieur que Monsieur le Comte est arrivé ; si Monsieur le Comte veut bien entrer ; Monsieur le Ministre veut-il me donner son pardessus ? »

Comment donner des ordres ?

Rares sont aujourd'hui les maisons dont le train de vie permet — ou exige — un personnel stylé, capable de bien recevoir des comtes ou des ministres... Même la « bonne à tout faire » est en voie de disparition et la plupart des maîtresses de maison se contentent — quand elles se font « aider » — d'une personne qui vient quelques heures par jour ou par semaine. Dans ce cas, patronne et employée se vouvoient et si l'une des deux surveille particulièrement sa façon de parler, c'est souvent la patronne.

En effet, beaucoup de jeunes femmes aujourd'hui répugnent à donner des ordres. Les « Voulez-vous bien faire ceci » de la Baronne Staffe sont condescendants, et l'impératif, même accompagné d'un gracieux « S'il vous plaît », semble trop brusque. La maîtresse de maison s'efforce de compenser par une extrême délicatesse verbale le manque d'attrait des tâches qu'elle est bien obligée d'imposer à sa femme de ménage. Tout d'abord, elle traite celle-ci comme une collaboratrice. Loin de dire « Vous ferez le salon aujourd'hui, s'il vous plaît », elle préférera présenter la saleté du salon comme un problème à résoudre, sans trop préciser d'où viendra la solution : « Il me semble que le salon aurait besoin d'être passé à l'aspirateur », ou « Il faudrait peut-être que le salon soit fait à fond, aujourd'hui, vous ne trouvez pas ? » Elle peut aussi dire : « Vous seriez gentille d'épousseter les bibelots » ou encore « Ça ne vous ennuierait pas d'épousseter les bibelots ? »

Fausse question évidemment, de même que les « Si vous voulez bien, si vous avez le temps, si vous n'êtes pas trop fatiguée » dont certaines préfacent leurs ordres, et qui tout rhétoriques qu'ils soient (dans la mesure où l'employée ne répond pas qu'elle ne tient nullement à épousseter les bibelots, n'en a pas le temps et, de surcroît, est bien trop fatiguée), peuvent avoir l'avantage d'atténuer le tranchant des ordres donnés et de rendre possibles des rapports sympathiques entre patronne et « domestique ».

Il n'en demeure pas moins que certaines personnes — tant employés qu'employeurs — continuent de préférer un impératif ou un futur aimables mais directs à des formules embarrassées.

L'argent

ARGENT. *Cause de tout le mal. — Dire : Auri sacra fames* [1].

FLAUBERT, *Dictionnaire des Idées reçues,* 0000

[C'est une] incivilité [de] s'approcher trop près de ceux qui comptent de l'argent, ou d'un coffre-fort ouvert, ou bien d'un cabinet dans lequel on cherche des bijoux ou autre chose, et même si on était seul dans un cabinet avec le maître de la maison et qu'il fût obligé de sortir pour quelque affaire, il faut sortir aussi et attendre hors du cabinet qu'il revienne.

COURTIN, 1671

Cette règle demeure. Tant il est vrai que l'honnêteté ne va pas de soi et qu'il vaut mieux se mettre à l'abri et du soupçon et de la tentation...

Pas de cela entre nous !

Les gens chics ne s'occupent jamais, ostensiblement du moins, de la fortune des gens de leur monde. Ils ne demandent pas : « Sont-ils riches ? A quel chiffre s'élève leur fortune ? » Ils basent leur opinion sur la richesse des familles, d'après la figure que ces familles font dans le monde. Les questions d'argent ont toujours répugné à ceux qui se piquent de bel air. *On entend bien dire : « Ils sont à leur aise, ils sont fort riches », mais on n'a pas l'air d'apporter une attention capitale à cette affirmation et, surtout, on n'ouvre jamais d'enquête sur le sujet. On ne parle pas de finances dans un* vrai salon.

STAFFE, 1889

---

1. En latin : « la maudite faim de l'or ».

En France, une vieille tradition aristocratique voulait qu'on ne parlât pas d'argent entre soi, mais qu'on laissât toutes ces questions aux professionnels, notaires, avoués, banquiers. Il était même de fort bon goût, surtout pour une femme, d'avoir l'air de ne rien y comprendre et surtout de ne pas s'en inquiéter. Ainsi, dans *Le Contrat de Mariage* de Balzac, 1834 :

Après le dîner, les deux plénipotentiaires laissèrent les amants près de la mère, et se rendirent dans un salon voisin destiné à leur conférence. Il se passa donc une double scène : au coin de la cheminée du grand salon, une scène d'amour où la vie apparaissait riante et joyeuse ; dans l'autre pièce, une scène grave et sombre, où l'intérêt mis à nu jouait par avance le rôle qu'il joue sous les apparences fleuries de la vie.

Comment réclamer son dû ?

Cette réticence à « traiter des questions matérielles désagréables » inspire à la Comtesse de Gencé (1871) trois jolis modèles de lettres pour le cas où une « dame très bien » se trouverait dans la regrettable nécessité de réclamer une somme prêtée à une autre « dame très bien ». Dans un premier temps, on écrira à l'amie pour lui demander de ses nouvelles...

Ma chère amie, je suis tout à fait inquiète de ne vous avoir pas revue depuis deux mois. Avez-vous été souffrante ? Cet hiver a été si rigoureux !
Ayez donc la gentillesse de me donner signe de vie. Vous savez que je participe de grand cœur à tout ce qui vous arrive et je me permets d'espérer que vous croyez toujours à ma bonne amitié et à mes sentiments dévoués.

Si la débitrice est bien élevée, il ne lui en faudra pas plus. Sinon, un deuxième billet entrera « dans le cœur du sujet, mais toujours avec élégance » (l'élégance consistera à se présenter soi-même comme coupable d'une « folie ») :

Ma chère amie, figurez-vous que j'ai fait une grosse folie de toilette. C'est très mal de la part d'une femme ayant, comme moi, la prétention de passer pour sérieuse ! Mais je me suis consolée en me disant que vous pouviez assurément me tirer d'embarras.

Je ne peux pas être indiscrète, en effet, en vous priant de tenir à ma disposition la petite somme que je fus si heureuse de vous procurer. Vous savez, d'ailleurs, que je suis en toute circonstance à votre disposition.

Croyez, ma chère amie, à mes sentiments bien dévoués.

Et enfin, si l'amie s'obstinait à faire la sourde oreille :

Ma chère amie, votre silence m'inquiète beaucoup. Donnez-moi de vos nouvelles, je vous en prie ! Le porteur de ce billet a, d'ailleurs, reçu l'ordre de s'informer de votre santé. Vous m'obligeriez vraiment en lui remettant, sous pli bien clos, la petite somme que vous savez.

C'est ce qui s'appelle mettre des gants ! Cette pudeur à réclamer crûment de l'argent à ses amis, même s'il s'agit de sommes dues, fait qu'on emploie toutes sortes de préambules : « Est-ce que ça vous gênerait de me rendre les cent francs que je vous ai prêtés ? » « Ça ne vous ennuierait pas ? » « Est-ce qu'il vous serait possible de me les faire parvenir ? »

Le débiteur idéal est, bien sûr, celui qui vous épargne tous ces embarras et dont la promptitude n'a d'égale que la parfaite simplicité :

Cher ami, voici les sept francs que vous avez été si gentil de me prêter hier soir. Ce n'était pas plus, n'est-ce pas ?

Marcel PROUST, *Lettre à Francis de Croisset,*

On notera que l'écrivain met une pointe de coquetterie à ne pas sembler se souvenir du montant exact de sa dette...

Des politesses, mais pas de cadeaux

Les questions d'héritage ont une grande importance et la Comtesse de Gencé ne se fait pas faute, dans le même manuel, de donner des modèles de lettres où les membres d'une famille se font part de leur ferme intention de ne rien céder sur leurs intérêts. Cette ferme intention sera, de part et d'autre, enrobée de nombreuses protestations d'affection. On y trouve, jointe à une résolution de fer, toute la gamme des bons sentiments familiaux. Si le style de ces lettres est un peu désuet, elles contiennent néanmoins des éléments dont on pourra encore faire bon usage...

Ma chère Lucy,

J'ai reçu de M^e N*** une lettre par laquelle il m'informe de ton intention de revendiquer pour ta part la terre de M*** comprise dans les biens provenant de la succession de notre oncle B.

Nos relations furent de tout temps empreintes d'une cordialité fraternelle pour que je n'aie pas besoin de renouveler mon désir de les voir durer ainsi. Il n'existerait, d'ailleurs, aucune raison pour qu'elles devinssent moins affectueuses si nous apportions à l'examen des intérêts qui nous touchent une parfaite équité, et un sentiment très net de nos devoirs respectifs.

J'ai des enfants, ma bonne sœur, dont l'avenir me suggère chaque jour des inquiétudes. Ils sont très jeunes, sans doute, mais je ne puis me résoudre à ne pas veiller, dès maintenant, à la sécurité de leur bien avec autant de sollicitude que s'ils devaient s'établir dès demain.

Tu ne trouveras donc pas mauvais, ma chère Lucy, de me voir animé de la volonté très ferme de faire procéder à un partage sévère excluant tout privilège. Ne prends pas ces dispositions pour une intransigeance systématique. En ceci je ne fais que me conformer à mon devoir paternel et tu te rendras compte, à ton tour, lorsque tu auras la joie d'avoir une famille, que l'on ne prend jamais trop de soin du bonheur des siens.

Tu as d'ailleurs voué à tes petits neveux une trop réelle tendresse pour m'en vouloir de songer à eux avant tout, et avant moi-même dont tu connais le désintéressement personnel et dont tu as eu bien souvent l'occasion de constater le vif désir de t'être agréable et de t'éviter le moindre ennui.

Veuille croire, ma chère Lucy, à mes sentiments de fraternelle amitié et reçois l'assurance de ma plus vive tendresse.

Lucien

Réponse à la précédente :

Mon cher Lucien,

Je comprends les sentiments qui t'inspirent et je ne saurais être blessée par l'empressement que tu mets à surveiller les intérêts de tes chers petits. Je les aime trop moi-même et suis trop hostile à l'idée que je pourrais personnellement leur nuire, pour désirer contrarier en rien tes projets en ce qui touche leur avenir.

A vrai dire, j'ai le cœur un peu brisé lorsque je me représente l'obligation où je me trouve de discuter avec toi à propos de questions matérielles sur lesquelles notre jugement diffère et qui ne peuvent désormais être résolues sans que l'un de nous ait à souffrir de l'avantage qui sera accordé à l'autre.

Permets-moi toutefois de te rappeler quels furent de tous temps les sentiments de notre bon oncle et ses propres paroles relativement à la terre M★★★. Sans qu'il eût jamais songé à léser ni toi ni tes enfants, il ne cessa, durant ses dernières années, d'exprimer son intention de me réserver cette propriété pour laquelle il savait ma préférence. Mes prétentions se trouvent donc justifiées par les idées mêmes du cher défunt. Il te suffira, sans aucun doute, de réfléchir un instant pour te rendre à mes raisons et cesser toute opposition à mes vues sur ce domaine.

Sois assuré, mon cher Lucien, que je ne mets aucune obstination mauvaise à revendiquer cette partie du bien de notre oncle. Mais ne dois-je pas songer moi-même à l'avenir ?

J'espère bien, à mon tour, fonder un jour une famille, car je n'ai pas encore, heureusement, l'âge où l'on abdique... Tu sais que le bonheur ici-bas tient à des causes très vulgaires. Les pauvres jeunes filles ont besoin d'avoir une dot convenable pour décider les candidats à leur main. Ta situation est assez brillante et l'avenir de tes enfants, que j'aime tendrement, est suffisamment assuré pour que tu n'aies rien à craindre de la fortune.

Rends-toi donc à mon sentiment, mon cher Lucien. Embrasse pour moi Jack et Odette et crois-moi toujours Ta sœur bien affectionnée.

Lucy

Combien gagnez-vous ?

Les Français se prétendent volontiers horrifiés par le sans-gêne avec lequel, aux États-Unis, on parle des questions d'argent et, surtout, de la liberté avec laquelle on demande à une personne que l'on connaît à peine, combien elle gagne, combien elle espère gagner l'année prochaine, etc. Tous nos manuels s'accordent pour affirmer qu'en France, il serait de très mauvais goût d'en faire autant.

Cette différence d'attitude vient certainement du fait que chez les *peuples démocratiques,* pour citer Tocqueville (1835), *où il n'y a point de richesses héréditaires, chacun travaille pour vivre, ou a travaillé, ou est né de gens qui ont travaillé.*

Il n'y a donc aucune honte à parler de son travail et surtout de son salaire. Tandis qu'en France, où ce fut longtemps une aristocratie oisive qui donna le ton, ce qui était marchand n'était point gentilhomme et un gentilhomme n'était point marchand, comme on le voit dans *Le Bourgeois Gentilhomme* de Molière (1670) :

Lui, marchand ! C'est pure médisance, il ne l'a jamais été. Tout ce qu'il faisait, c'est qu'il était fort obligeant, fort officieux ; et comme il se connaissait fort bien en étoffes, il en allait choisir de tous les côtés, les faisait apporter chez lui, et en donnait à ses amis pour de l'argent.

Citons encore Tocqueville (*ibid.*) :

Dans les aristocraties, ce n'est pas précisément le travail qu'on méprise, c'est le travail en vue d'un profit. Le travail est glorieux quand c'est l'ambition ou la seule vertu qui le fait entreprendre. Sous l'aristocratie, cependant, il arrive sans cesse que celui qui travaille pour l'honneur n'est pas insensible à l'appât du gain. Mais ces deux désirs ne se rencontrent qu'au plus profond de son âme. Il a bien soin de dérober à tous les regards la place où ils s'unissent. Il se la cache volontiers à lui-même. Dans les pays aristocratiques, il n'y a guère de fonctionnaires publics qui ne prétendent servir sans intérêt l'État. Leur salaire est un détail auquel quelquefois ils pensent peu, et auquel ils affectent toujours de ne point penser.
Ainsi, l'idée du gain reste distincte de celle du travail.

Aussi bien répugne-t-on à prononcer le mot de « salaire » (et plus encore celui de « paye »), comme s'il y avait là quelque chose de blessant. Un fonctionnaire parle de son traitement, un militaire de sa solde. On parlera aussi d'appointements, de rémunération, quand il s'agit d'employés, y compris d'employés de maison, pour qui le terme de « gages », de rigueur autrefois, est aujourd'hui archaïque et déplacé.
Les membres des professions libérales, avocats, médecins, architectes reçoivent des honoraires. Quant aux musiciens, acteurs et vedettes de cinéma, ils touchent des cachets.

Combien vous dois-je ?

Voilà une question qu'on ne sait pas toujours comment poser. Et peut-on la poser à tous, de façon aussi directe ?

Dans la correspondance, on priera un commerçant, un ouvrier, d'envoyer sa facture.

A un médecin, à un avocat, on écrira : « Je vous prie de bien vouloir m'indiquer le montant de vos honoraires. »

De vive voix, on peut très bien demander combien on doit au médecin, au peintre, au garagiste...

Il y a des cas où la bienséance interdit, en principe, que l'on paie quelqu'un de façon trop évidente. Ainsi, dans les familles qui font donner à leurs enfants des leçons particulières, une longue tradition voudrait que l'on remette au professeur, toutes les semaines ou tous les mois, une enveloppe fermée contenant le montant de ses honoraires. Le comble de la délicatesse est de poser l'enveloppe sur la table au lieu de la tendre directement au professeur. Celui-ci la ramasse discrètement et la met dans sa poche sans l'ouvrir, bien entendu.

Il serait impoli de mettre cet argent dans la main de celui auquel il est destiné.

STAFFE, 1883.

Tout se passe donc comme si le professeur, à qui l'on ne manquera pas non plus d'exprimer sa reconnaissance, donnait des leçons par amour de l'art ou pour rendre service.

L'usage du chèque bancaire, de plus en plus répandu, simplifie maintenant toutes ces questions. On ne saurait manquer de respect à quelqu'un en lui tendant un chèque.

Être ou paraître riche

Le temps n'est plus ou des duchesses tombées dans la misère se privaient de nourriture pour avoir encore une voiture bien attelée et un cocher en livrée. Il est devenu naturel de ne pas chercher à paraître plus riche qu'on ne l'est. Cette attitude était assez rare encore en 1924 pour que les auteurs d'un manuel de savoir-vivre remarquent :

Certains avouent franchement leur pauvreté et en rient, ne demandant rien à personne et restant ce qu'ils sont. C'est encore une très belle tenue morale.

La Politesse française

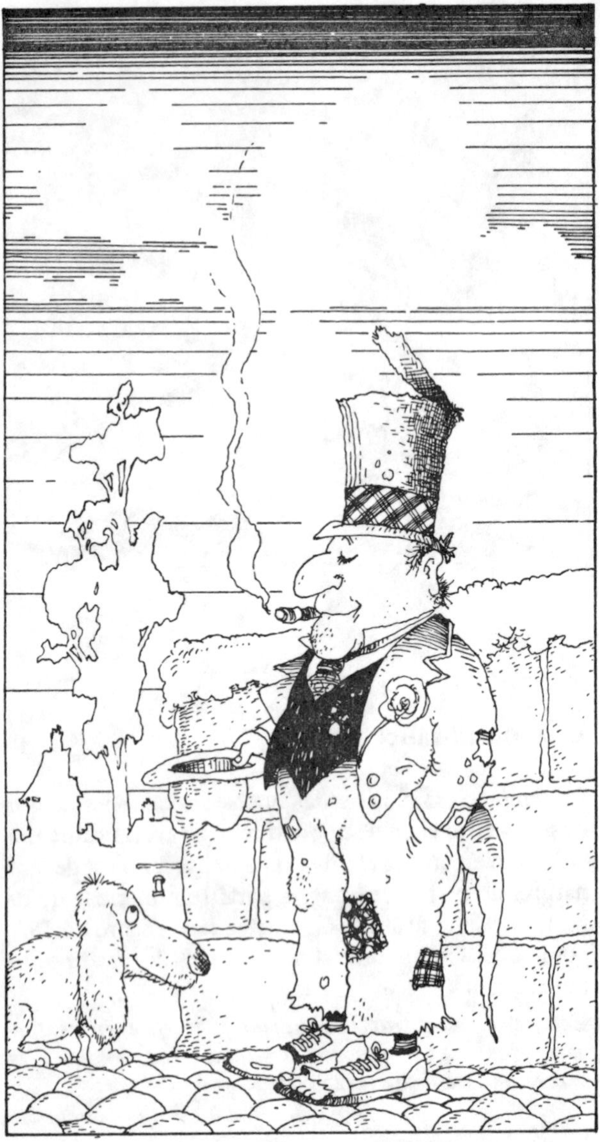

Les manuels de bonnes manières et de bienséances étaient écrits pour des lecteurs riches ou désireux de le paraître. Il allait de soi que les repas étaient servis par des domestiques et que les enfants étaient élevés par des gouvernantes ou dans les meilleures pensions. Ces manuels ne manquaient pas de consacrer quelques pages à la façon dont on devait se conduire avec des amis « ruinés » ou « tombés dans la gêne ». A ceux-ci, les mêmes livres recommandaient de se retirer de la vie mondaine afin de s'épargner des humiliations. La pauvreté était un malheur très gênant, que l'on devait essayer de supporter courageusement mais qu'il ne fallait surtout pas afficher.

Si vous êtes pauvre, n'étalez pas votre pauvreté. Tâchez, par des soins excessifs, de ne jamais présenter un aspect misérable. Choisissez des vêtements simples, sans prétention.

STAFFE, 1906

Tout cela a bien changé. A tel point qu'on n'hésite pas, si on a des « problèmes d'argent », à en informer ses amis et à les recevoir, tout simplement, autour d'un plat de nouilles... La richesse est passée de mode, semble-t-il, et plutôt que de s'avouer à l'aise, il est de fort bon ton, au contraire, de se proclamer « complètement fauché ».

Les « infirmités humaines »

Les manuels du XIXe siècle rangent habituellement sous ce titre tout ce qui touche aux besoins du corps.

Bâiller

Le bâillement caverneux est chose atroce pour celui qui l'entend.

STAFFE, 1883

BÂILLEMENT. *Il faut dire : « Excusez-moi, ça ne vient pas d'ennui mais de l'estomac. »*

FLAUBERT, Dictionnaire des Idées reçues

Flaubert, bien sûr, caricature les « bonnes manières » de l'épais bourgeois qui somnole en digérant.

Se moucher

Un gentilhomme français se mouchait toujours de sa main ; chose très ennemie de notre usage. Défendant là-dessus son fait (...) il me demanda quel privilège avait ce sale excrément que nous allassions lui apprêtant un beau linge délicat à le recevoir, et puis, qui plus est, à l'empaqueter et serrer soigneusement sur nous, que cela devait faire plus de horreur et de mal au cœur, que de le voir verser où que ce fût, comme nous faisons tous autres excréments. Je trouvai qu'il ne parlait pas du tout sans raison.

MONTAIGNE, Essais, 1571-1592

Au XVIe siècle, l'usage du mouchoir est loin d'être général. Beaucoup de gens n'en possédaient pas. Aussi Érasme (1530) prévoit-il toutes les éventualités :

Se moucher avec son bonnet ou avec un pan de son habit est d'un paysan, sur le bras ou sur le coude, d'un marchand de salaisons. Il n'est pas beaucoup plus propre de se moucher dans sa main pour l'essuyer ensuite sur ses vêtements. Il est plus décent de se servir d'un mouchoir, en se détournant, s'il y a là quelque personne honorable. Si l'on se mouche avec deux doigts et qu'il tombe de la morve par terre, il faut poser le pied dessus. Il n'est pas convenable de souffler bruyamment par les narines, ce qui dénote un tempérament bilieux.

Trois siècles plus tard, les gens du monde ne se retournent plus pour se moucher à table. Ce geste, qui marquait un progrès et une certaine délicatesse dans une société où la saleté était générale, devient ridicule à une époque où la propreté et l'hygiène vont de soi.

Cracher

Détourne-toi pour cracher, de peur d'arroser et de salir quelqu'un. S'il tombe à terre quelque crachat épais, pose le pied dessus.

ÉRASME, 1530

Le riche Giton, peint par La Bruyère, « crache fort loin », tandis que Phédon, qui est pauvre, « crache presque sur soi » (*Les Caractères* 1688-1696). On crache beaucoup à la cour de Louis XIV. On crache par terre, on crache un peu partout. Le roi, pour sa part, possède de fort beaux crachoirs, et s'en sert. Près de deux siècles après Érasme, on en était encore à donner des conseils « balistiques », et Norbert Elias (1969) cite des suggestions d'une *Civilité française* anonyme parue en 1714 :

Il est de mauvaise grâce de cracher par la fenêtre dans la rue, ou sur le feu.
Ne crachez point si loin qu'il faille aller chercher le crachat pour mettre le pied dessus.

190

Personne ne songerait, de nos jours, à cracher sur un beau plancher. Mais il n'est pas rare de le voir faire sur les trottoirs, où dans des lieux publics. Aux yeux des gens raffinés (de notre époque aussi bien que du siècle dernier), celui qui se permet de cracher à terre fait preuve d'un manque absolu de savoir-vivre.

Ne vous est-il pas arrivé plus d'une fois en omnibus, en wagon ou ailleurs, d'être frappé de l'air de distinction d'un nouvel arrivant ? Vous éprouviez pour lui une espèce de sympathie, née de ses manières gracieuses, de sa belle tenue, de tout son maintien et vous vous amusiez à bâtir des suppositions sur la condition sociale de ce voisin de grande allure. Tout à coup, le héros de votre petit roman se penche en avant et... crache entre ses jambes. C'est fini, votre prince charmant n'est plus qu'un vilain homme vulgaire.

STAFFE, 1883

Fumer

On peut probablement considérer cette habitude comme une infirmité...

Fumer dans un lieu public et clos semble aujourd'hui prendre la relève, dans l'opprobre, de cracher. Il est parfaitement acquis qu'une personne bien élevée ne crache pas à terre, sans qu'on ait besoin d'invoquer des raisons d'hygiène. Peut-être d'ici quelques années, sera-t-il également devenu impensable de fumer dans un restaurant qui ne soit pas en plein air, sans qu'on ait à rappeler les dangers du tabac et de la fumée, les risques de cancer, etc. On assistera peut-être de nouveau à des scènes comme celle-ci, qui eut lieu en 1871, dans le train qui menait Bismarck de Paris à Versailles. Bismark était monté avec son aide de camp dans un compartiment de première classe où se trouvait déjà une dame d'un certain âge. Après quelques minutes de voyage, l'aide de camp tendit un cigare à Bismarck. Celui-ci s'inclina devant la dame et lui demanda, comme cela se faisait alors, si la fumée la gênerait. « Je ne sais, Monsieur », répondit-elle, « personne n'a jamais fumé devant moi. »

Éternuer

ÉTERNUEMENT. *Après qu'on a dit : « Dieu vous bénisse », engager une discussion sur l'origine de cet usage.*
FLAUBERT, *Dictionnaire des Idées reçues*

A l'époque d'Érasme, un éternuement ne passe pas inaperçu. Le cérémonial qui doit suivre chaque accès est si compliqué, tant pour celui qui éternue que pour ceux qui assistent à ses éternuements, que les personnes affligées du rhume des foins devaient être tentées de renoncer à toute conversation...

S'il arrive d'éternuer en présence de quelqu'un, il est honnête de se détourner un peu ; quand l'accès est passé, il faut faire le signe de la croix, puis soulever son chapeau pour rendre leur politesse aux personnes qui ont salué (…) et s'excuser ou remercier. C'est chose religieuse de saluer celui qui éternue, et s'il y a là des gens plus âgés qui saluent quelque personne de mérite, homme ou femme, un enfant doit se découvrir.

ÉRASME, 1530

Au siècle suivant, les choses se simplifient… un peu : Si une personne éternue,

… il ne faut pas lui dire tout haut : Dieu vous assiste, mais il faut seulement se découvrir et faire une profonde révérence, faisant ce souhait intérieurement.

COURTIN, 1671

Dans la société telle qu'elle est peinte par La Bruyère, c'est le *pauvre* qui, par excès d'humilité, *attend qu'il soit seul pour éternuer, ou, si cela lui arrive, c'est à l'insu de la compagnie : il n'en coûte à personne ni salut ni compliment.*

On a beaucoup dit que la coutume de s'exclamer : « Dieu vous bénisse ! » (ou : « Dieu vous assiste ! ») était née au cours d'une épidémie de typhus, à Rome, au VIe siècle, pendant la papauté de Grégoire le Grand. Les malades éternuaient et mouraient peu après. On implorait donc Dieu en leur faveur. C'est aussi à cette époque que les gens auraient pris l'habitude de faire le signe de croix. De fait, la coutume d'invoquer un dieu, ou les Dieux, existait depuis longtemps. En Grèce, quand on éternuait, on invoquait Zeus, à Rome, Jupiter. L'éternuement était souvent considéré comme un présage favorable. Dans l'*Odyssée*, quand Télémaque éternue si fort que toute la salle en retentit, Pénélope se met à rire de joie, car elle voit là le signe que ses prières sont exaucées et que le retour d'Ulysse ne saurait plus tarder. A Rome, l'éternuement était interprété comme un signe de bon augure pour la personne à la droite de laquelle il se produisait. Mais malheur à vous si l'on éternuait à votre gauche ! Au xixe siècle, on ne considère plus l'éternuement comme un présage, bon ou mauvais, ni comme l'occasion d'appeler, sur la tête de celui qui éternue, la clémence divine et ses effets. Les bonnes manières n'ont plus grand chose à voir avec la religion. Le souci du salut d'autrui a été remplacé par... le dégoût (et le xixe siècle est facilement dégoûté).

L'éternuement est devenu une « convulsion ridicule »
qu'il convient d'étouffer dans son mouchoir :

Vous sentez venir le titillement que vous savez, vite vous
appliquez le mouchoir sur vos narines et on n'entend rien
ou si peu de chose qu'une personne imbue des façons
d'autrefois ne pourrait vous souhaiter les cent mille livres
de rente, qui sont les termes des ambitions mesurées à notre
époque...

STAFFE, 1889

De nos jours, si les éternuements n'horrifient plus
personne, on recommande tout de même d'éternuer
aussi discrètement que possible. A celui qui éternue,
on pourra dire, si l'on veut (mais ce sera généralement
sur un ton badin) : « A vos souhaits ! »

Certains aiment dire : « A vos amours ! » à quoi la
réponse est : « Que les vôtres durent toujours ! »

Il serait d'ailleurs tentant de ressusciter d'autres formules, plus savoureuses encore. Cabanès (1929) en
donnait quelques-unes, rustiques et fort jolies, par
exemple : « Au cul le nez pour la froidure ! » à quoi
l'interpellé devait répondre : « Ainsi soit le vôtre »
(Cette expression venait de Normandie). En Bourgogne, au Berry, l'usage voulait que l'on dît : « Dieu
vous bénisse avec sa grande bénissoire » ou « avec son
saint bénissoir. »

Citons, pour terminer, cette charmante formule (et
notons qu'ici, comme dans la formule normande,
l'éternuement conduit, en vertu d'une logique un peu
bizarre, à évoquer des parties du corps fort éloignées
des narines...) :

Dieu vous bénisse,
Vous fasse le nez comme j'ai la cuisse,
Et le menton comme j'ai le croupion !

Péter

Il y a longtemps que les manuels ont cessé de mentionner cette « infirmité ».

Mais au Moyen Âge et au XVIe siècle, on en est encore aux rudiments de ce qui passe à nos yeux pour une bonne tenue. Ainsi Érasme (1530) précise qu'il faut non seulement se retenir de péter mais aussi éviter tous les mouvements risquant d'évoquer cet acte incongru :

Se dandiner sur sa chaise et s'asseoir tantôt sur une fesse, tantôt sur l'autre, c'est se donner l'attitude de quelqu'un qui lâche un vent, ou qui s'y efforce.

Les besoins de la nature

Les manuels modernes n'en parlent pas. On suppose que chacun a appris dans l'enfance à y satisfaire, sans tambour ni trompette, à l'abri des regards d'autrui. Il n'en a pas toujours été ainsi. Si Jean-Baptiste de La Salle, en 1736, ne se fait pas faute de préciser qu'*il est de la bienséance, aux enfants même, de ne les faire que dans les lieux où l'on ne puisse pas être aperçu,* c'est qu'il a ses raisons.

On connaît les nombreuses séances de chaise percée décrites par Saint-Simon dans ses Mémoires :

Le duc de Vendôme se levait assez tard à l'armée, se mettait sur sa chaise percée, y faisait ses lettres et y donnait ses ordres du matin. Qui avait affaire à lui, c'est-à-dire pour les officiers généraux et les gens distingués, c'était le temps de lui parler. Il avait accoutumé l'armée à cette infamie. Là, il déjeunait à fond et souvent avec deux ou trois familiers, rendait d'autant, soit en écoutant ou en

donnant ses ordres, et toujours force spectateurs debout. Il
rendait beaucoup ; quand le bassin était plein à répandre,
on le tirait et on le passait sous le nez de toute la compagnie
pour l'aller vider...

La duchesse de Bourgogne, elle aussi, *causait sur sa*
chaise percée avec Mmes de Nogaret et du Châtelet (...) et
c'était là où elle s'ouvrait le plus volontiers.

Ibid.

Louis XIV lui-même n'était pas plus réservé, au
contraire.
Les jours où il « prenait médecine », c'est-à-dire se
purgeait, toute la cour était en émoi, il n'y avait pas de
plus grand honneur que de lui présenter le bassin et
d'aller le vider.
C'était aussi un grand privilège que d'être admis dans
la chambre ou le cabinet du roi quand il était assis sur
son bassin ou sa chaise percée...

Quant aux nécessités moins solides, on y satisfaisait un peu n'importe où, et en particulier dans les cheminées ! Sur ce chapitre, les Français ne sont d'ailleurs pas trop pudibonds...

On raconte que Barbey d'Aurevilly, l'écrivain et « dandy », revenant de sa soirée habituelle au café, du côté des grands boulevards, se sentit la vessie pleine et se soulagea sur le trottoir. Le sergent de ville du quartier passa, reconnut l'écrivain et s'exclama, sur un ton de respectueux reproche : « Oh, Monsieur Barbey, au moins vous pourriez vous mettre plus près du mur ! » Sur quoi Barbey, ayant terminé son affaire, se retourna et dit : « Mon ami, voudriez-vous que je me l'écorchasse ? »

Curieusement, si l'exigence de discrétion dans l'acte est une idée assez neuve, il n'en est pas de même dans son évocation, soumise depuis fort longtemps à des restrictions qui surprennent. Ainsi au XVIe siècle, où l'on se contraignait si peu par ailleurs, on répugna souvent à prononcer le mot d' « urine » et, comme on la faisait porter à son médecin afin qu'il y lise l'état d'un malade, on a fini par appeler le liquide lui-même « état » (après l'avoir longtemps appelé « eau »). Ainsi, on faisait porter son « état » au médecin... La médecine, il est vrai, a ses nécessités qui ne font pas toujours bon ménage avec celles de la bienséance :

Obligé de parler de divers besoins, de diverses parties du corps, pour lesquels la bienséance n'a point de langage, le médecin doit éviter à la fois d'être obscur et d'être grossier, principalement lorsqu'il s'adresse aux dames.

CELNART, 1832

Assurément, un médecin se voit obligé de poser des questions d'un mauvais goût parfait. Au début de notre siècle, il demandait à ses malades s'ils étaient « passés à la garde-robe. » Aujourd'hui, il leur demandera s'ils vont « à la selle ». Ces mots sont déconcer-

tants, et ils doivent l'être. Il est absolument nécessaire qu'ils ne désignent pas, ou plus, l'objet d'une manière claire et précise. Et en effet, ces mots sont des archaïsmes.

Quand on parlait de « garde-robe », il y avait bien longtemps qu'on avait cessé de remiser la chaise percée, entre deux utilisations, dans le placard à vêtements appelé garde-robe.

Quant au mot « selle » (*sèle*, en ancien français, du latin *sella*, siège) il désigna d'abord, outre celle du cheval, un simple tabouret qu'on eut un jour l'idée de percer d'un large trou.

La langue a produit une vaste floraison d'euphénismes pour désigner « les lieux ».

« Le petit endroit » et « le petit coin » sont encore employés dans un certain nombre de familles et ont un charme un peu désuet... Le mot de « cabinet » (petite pièce située à l'écart), quand il est employé au pluriel ne signifie plus que « cela ». Les « lieux d'aisances », les « commodités » promettaient, l'un dans les jardins publics, l'autre à la campagne, un confort dont ils manquaient le plus souvent. Ils sont d'ailleurs en voie de disparition, remplacés par l'euphémisme anglomane. Les Anglais parlaient en effet jadis de *water-closets* (ce qui signifie littéralement *lieux clos et pourvus d'eau courante*). Les Français ont retenu ce vocable et l'ont abrégé. W.C. s'écrit bien mais se prononce mal. Si vous tenez à être bien « coté », ne parlez pas de « vécés », encore moins de « ouatères » ou de « vatères ».

Le « pipi-room », qui n'existe pas dans les pays anglo-saxons, d'où il est censé venir, connaît une certaine vogue en France. Son emploi reste néanmoins déplacé dans un grand nombre de circonstances. Mais alors, quel mot convient-il de prononcer ? Au restaurant, au café, au théâtre, pas de doute, la bonne question est : « Où sont les toilettes ? » Mais la formule est à déconseiller « dans le monde » où l'on demandera plutôt à son hôtesse : « Où est la salle de bains ? » ou bien, mais uniquement à l'arrivée : « Où puis-je me laver les mains ? »

Savoir « où c'est » ne règle d'ailleurs pas tous les problèmes. Vaut-il mieux se retirer discrètement ou attirer l'attention sur soi en disant « Excusez-moi » ? Dans les deux cas, la question risque de fuser : « Où allez-vous ? » Si c'est un enfant qui la pose, on pourra répondre : « Je vais où le roi va à pied » ou « Je vais où tu ne peux pas aller à ma place. » Si la question est posée par un adulte bien intentionné mais étourdi — car c'est une question qu'on ne pose pas — alors, à chacun selon son inspiration : « Je vais faire un tour », « Je sors » (prononcé avec l'accent de Raimu), etc. Du reste, il ne manque pas de gens qu'une telle question n'embarrasse nullement et qui, au contraire, la devancent volontiers. Ainsi, le docteur Cottard, une des silhouettes de *la Recherche du Temps perdu,* qui annonce : *Il faut que j'aille entretenir un instant le duc d'Aumale,* avant de s'éclipser, satisfaisant ainsi à un exhibitionnisme bénin, assez répandu dans toutes les couches de la société.

Une des principales manifestations de cette tendance est aujourd'hui l'affectation qui consiste à déclarer d'un ton enfantin que l'on va faire « un petit pipi ». C'est là un amusant retournement des choses. Il n'y a pas si longtemps, en effet, nombre de familles exigeaient que leurs enfants apprennent très tôt à se servir d'euphémismes tels que « la petite — ou la grosse — commission », « la petite affaire »... Certaines familles fabriquaient leurs propres expressions, ce qui risquait d'avoir des conséquences désastreuses. Ainsi l'enfant qui, gardé par une amie de sa mère, demanda pendant fort longtemps, d'un air de plus en plus désespéré, à « pousser caillou », sans parvenir à se faire comprendre jusqu'à ce qu'il fût trop tard...

La grossesse

Ce phénomène, ô combien naturel, ne s'apparente certes pas à une infirmité. Il mérite pourtant qu'on en dise un mot ici car, comme toutes les choses du corps, il fut longtemps banni de la conversation.

Au début de notre siècle, une femme distinguée ne parlait ni d'accouchement ni de grossesse. Elle ne disait pas qu'une de ses amies était enceinte. L'amie était « dans une position ou dans une situation intéressante ». Mieux encore elle « attendait famille » ou « un heureux événement ». Au mot d'accouchement on préférait celui de naissance, plus pudique...

ACCOUCHEMENT. *Mot à éviter ; remplacer par « événement ». « Pour quelle époque attendez-vous l'événement ? »*

FLAUBERT, *Dictionnaire des Idées reçues*

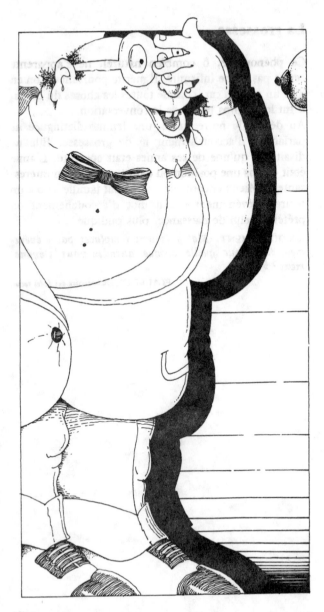

Décence et vertu

« Cachez ce sein que je ne saurais voir »

Il y a des sujets dont les manuels les plus récents ne parlent pas, ou qu'ils effleurent à peine, mais qui faisaient autrefois partie intégrante de tout ouvrage de savoir-vivre. Ce sont les sujets ayant trait à la morale sexuelle. Jusqu'à la fin du siècle dernier, pas de manuel qui ne consacre au moins quelques pages à la vertu ainsi qu'à la pudeur. Au XVIIe siècle, et encore au XVIIIe, les recommandations précises sur la décence dans le vêtement abondent, ainsi :

C'est une chose tout à fait indécente de se présenter devant des personnes et particulièrement devant des dames et de montrer la peau à travers la chemise ou d'avoir quelque chose d'entrouvert qui doit être clos par honnêteté.

COURTIN, 1671

Ces recommandations sont souvent explicitement liées à une morale chrétienne et donnent une idée du manque de retenue qui régnait jusque dans les milieux de cour :

Il est bien plus contre la bienséance et l'honnêteté de toucher ou de voir en une autre personne, particulièrement si elle est de sexe différent, ce que Dieu défend de regarder en soi ; c'est ce qui fait qu'il est très indécent de regarder le sein d'une femme, et encore plus de le toucher, et qu'il n'est pas même permis de la regarder fixement au visage.

LA SALLE, 1695

Vertu ou réputation ?

Certes, ce genre de prescription, en termes très concrets, n'est encore qu'à mi-chemin entre les recommandations visant à introduire une certaine retenue dans la vie commune (comme celle qui, dans le même ouvrage, dit que *lorsqu'on a besoin d'uriner, il faut toujours se retirer en quelque lieu écarté*) et la morale à proprement parler.

La marquise de Lambert (1728), elle, fait vraiment de la morale :

Quand vous aurez quelque usage du monde, vous connaîtrez qu'il n'est pas nécessaire d'être menacée par les lois pour vous contenir dans votre devoir ; l'exemple de celles qui se sont relâchées, les malheurs qui les ont suivies de si près, suffiraient pour arrêter sur le penchant le plus rapide : car il n'y a pas une femme galante qui, si elle veut être sincère, ne vous avoue que c'est le plus grand malheur du monde que de s'être oubliée.

On croirait les recommandations de Madame de Chartres mourante à sa fille, la princesse de Clèves... Rien de pire, pour Madame de Lambert, que d'être gouvernée par les passions, rien de plus insidieux, non plus, que ces passions et, pour s'en garantir, le simple respect des bienséances ne suffit pas :

... tout ce qui s'appelle plaisir vif est danger. Quand on serait assez retenu pour ne point blesser les bienséances et pour demeurer dans les bornes prescrites à la pudeur, dès que le plaisir du cœur s'est fait sentir, il répand dans l'âme je ne sais quelle douceur qui donne du dégoût pour tout ce qui s'appelle vertu.

Ibid.

Cependant, et c'est là que se fait le lien entre morale et bienséance, le respect de celle-ci peut aider une femme à conserver sa vertu et, chose plus importante encore, l'apparence de la vertu, c'est-à-dire sa réputation. En effet ces conseils s'adressent le plus souvent aux femmes, puisque ce sont elles qui ont le plus à perdre...

Tout d'abord, donc, des conseils pour soigner cette réputation. Là, le manuel de savoir-vivre intervient fort efficacement, par la simple énumération des choses à faire et à ne pas faire :

Il y a, par exemple, des formules qui permettent à une femme de rompre gracieusement et rapidement un tête-à-tête avec un homme, car il ne serait pas convenable qu'une telle situation se prolonge :

Un homme, en l'absence de sa femme, fera entrer les visiteuses qui se présenteront, mais celles-ci ne resteront que quelques instants. Elles diront : « Je ne voulais que serrer la main à Madame X..., venant si près d'elle, mais j'ai affaire à telle heure. »

STAFFE, 1889

De même, la dame surprise seule chez elle par un visiteur, le fera entrer et annoncera au bout de quelques minutes :

Je vous demande pardon de vous chasser, mais je dois sortir. (Je suis attendue, ou j'ai telle course à faire, etc.).

STAFFE, 1889

Bouche cousue

A en croire les manuels, une femme ne doit jamais sortir d'une extrême réserve. Elle doit s'abstenir de poser des questions qui montreraient qu'elle s'intéresse à la santé d'un homme, à ce qu'il fait, etc. Elle évitera aussi, de cette façon, de s'attirer des réponses qui pourraient être très gênantes (le monsieur, dans ce genre d'ouvrage, est souvent soupçonné d'avoir des activités qu'il vaut mieux entourer d'un voile)...

L'usage défend encore à une dame de s'informer des nouvelles d'un homme, à moins qu'il ne soit malade ou bien âgé.

CELNART, 1832

Une femme ne doit jamais demander à un homme ce qu'il a fait, d'où il vient, où il va, non plus faire remarquer qu'un homme de la société où elle se trouve est en retard ou parti.

Louise d'ALQ, 1881

D'une part, en effet, elle se compromettrait en laissant paraître qu'elle attache de l'importance à ses allées et venues ; d'autre part, elle attirerait fâcheusement l'attention sur les raisons pour lesquelles il a pu arriver en retard ou partir en avance.

Au bain, mais pas au musée

Au XIXᵉ siècle, c'est à la femme que s'adressent les conseils regardant la décence vestimentaire :

... elle [la « jeune femme comme elle devrait être »] ne se rend pas de sa cabine au flot et de celui-ci à celle-là, moulée dans certains costumes de bains. Elle jette un manteau sur ses épaules.

STAFFE, 1889

Une femme soucieuse de sa réputation doit, bien entendu, éviter certaines attitudes :

Une personne du sexe doit avoir une démarche modeste et mesurée : trop de précipitation nuit à la grâce décente qui doit caractériser une femme.

CELNART, 1832

Elle devrait aussi éviter certaines démarches, qu'on est bien naïf de croire innocentes !

Une dame ne doit point se présenter seule dans une bibliothèque, un musée, à moins qu'elle n'y aille travailler comme artiste.

Ibid.

Au bal

Le bal est le lieu par excellence où la femme devra faire montre de « grâce décente » :

Si quelques hommes adressent la parole à une femme jeune encore, elle doit leur répondre de manière à ce que les femmes qui sont près d'elle entendent sa réponse.

J. B. J. de CHANTAL, 1843

La danseuse ne regarde pas son cavalier au visage, elle ne baisse pas les yeux vers la terre. Ni pruderie, ni hardiesse, ni fausse honte.

STAFFE, 1889

Pendant ce temps, son cavalier aura tout le loisir de la dévorer des yeux, puisque aucune règle, bien sûr, ne le lui interdit. Le bal est un lieu de vertige, où l'on joue avec le feu. Aussi les manuels dispensent-ils certaines recommandations qui, bien suivies, mettront les jeunes femmes et les jeunes filles à l'abri de cette « je ne sais quelle douceur » dont parlait la marquise de Lambert et qu'au XIXᵉ siècle on appelle plutôt volupté...

La valse étant une danse assez voluptueuse, les demoiselles s'en abstiennent dans les bals publics et particuliers ; les très jeunes dames ne se la permettent que dans ces dernières réunions, peu souvent et avec des valseurs de leur société. Il est indispensable de s'en acquitter avec beaucoup de réserve et de décence.

CELNART, 1832

D'ailleurs, le véritable *gentleman*[1] préservera, par sa conduite, l'innocence de la femme :

... il veillera sur ses moindres paroles, quel que soit l'âge de la femme à laquelle il s'adresse, pour ne pas déflorer cette ingénuité féminine, — que beaucoup de femmes gardent au-delà du mariage — par un mot étourdi, malséant, inconvenant.

STAFFE, 1889

D'aucuns préfèrent voir la jeune fille périr d'ennui plutôt que de perdre cette précieuse ingénuité :

Un homme qui a une jeune fille placée à côté de lui, ne doit lui parler que de banalités et causer fort peu avec elle.

BASSANVILLE, 1867

---

1. *Gentleman* n'est autre que la transcription en anglais du mot français « gentilhomme » : *gentle,* gentil (au sens de bien né) et *man,* homme. Le français réimporta le nom ainsi transformé. Au XIXᵉ siècle, la forme anglaise finit par éclipser la forme française d'origine.

La tentation

Il est bien évident qu'aucun manuel de savoir-vivre n'a jamais empêché l'adultère... Cependant, la baronne Staffe, entre autres, indique les façons de se conduire, les attitudes qui aideront les femmes à se préserver de la tentation, — si elles le veulent.

Une femme, une femme mariée surtout, devine tout de suite qu'elle est aimée. Alors, quelle est la conduite que lui commandent les convenances et l'honneur féminin ? Si sûre qu'elle se croie d'elle-même, elle éloignera immédiatement ce danger en refusant de recevoir — en l'absence de sa mère ou de son mari — celui dont elle a pénétré les sentiments ; elle évitera même de le rencontrer, dans la crainte de se laisser amollir, émouvoir, et Dieu sait où cela peut mener !

Au XIXe siècle, ce genre de conseil n'est plus — explicitement, du moins — lié à une conception religieuse de la vie, mais plutôt à la notion toute sociale de ce qu'une femme « bien » se doit à elle-même et doit à son entourage.

Ne donnez jamais prise au soupçon, pour vous-même, pour les autres, écrit la baronne Staffe (1889), qui exhorte ses lectrices à une résignation sublime, dans un style sentimental qui sera repris par les courriers du cœur de notre siècle :

Vous êtes peut-être malheureuse, votre cœur est peut-être meurtri, ne cherchez pas de consolations, même idéales, qui sont dangereuses, qui peuvent devenir coupables. Résignez-vous. Perdez-vous tout entière dans vos enfants.

Ibid.

A la femme honnête est opposée ce que la marquise de Lambert appelait la « femme galante » et qui, dans la nomenclature bourgeoise du XIXe siècle, porte encore d'autres noms. La femme « tombée » est, bien

entendu, bannie de la société des dames comme il faut.
De même l'ancienne « cocotte », devenue Madame
Swann, ne réussit pas à attirer chez elle les femmes du
monde :

*Mon Dieu... c'est une maison où il me semble que vont
surtout... des messieurs. Il y avait quelques hommes
mariés, mais leurs femmes étaient souffrantes ce soir-là et
n'étaient pas venues...*

PROUST, *A l'ombre des jeunes filles en fleurs*

Cependant, une femme vraiment distinguée, si « honnête » soit-elle, évitera de s'effaroucher sottement :

D'autre part, il est bon que les femmes honnêtes sachent bien qu'elles ne peuvent aucunement être contaminées par la présence accidentelle d'une femme tarée. Elles se garderont de prendre des airs pudibonds, offensés ; elles ne toiseront pas la brebis galeuse d'une façon insolente, elles ne lui feront aucune impertinence. Tout ce qu'elles pourront se permettre sera de ne pas engager de conversation avec elle et de répondre un peu froidement à ses avances, si elle leur en fait.

Cette quarantaine infligée à la femme tombée sera bien suffisante, dépassera même la mesure aux yeux d'une personne charitable.

STAFFE, 1889

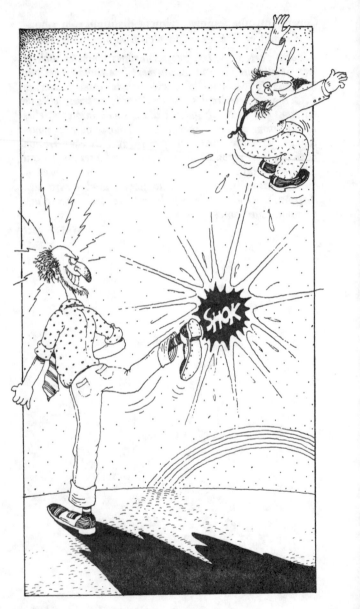

SHOK

214

Les mouvements du cœur

Rodrigue, as-tu du cœur ?

En entendant son fils s'écrier, sur un ton de brutal orgueil :

Tout autre que mon père l'éprouverait sur l'heure !

Don Diègue est convaincu que la réponse est oui. *Agréable colère !...*

Cœur est alors synonyme de courage, d'un courage qui ne connaît guère d'autre expression que la violence. Tout l'effort des moralistes du XVIIᵉ siècle a consisté à réprimer les élans de ce cœur viril et ombrageux pour laisser s'exprimer l'autre langage du cœur, celui de la générosité et de la tendresse. Leur tâche fut rude :

Le prince d'Harcourt et la Feuillade eurent querelle avant-hier chez Jeannin. Le prince disant que le chevalier de Gramont avait l'autre jour ses poches pleines d'argent, il en prit à témoin la Feuillade, qui dit que cela n'était point, et qu'il n'avait pas un sou. « Je vous dis que si. — Je vous dis que non. — Taisez-vous, la Feuillade. — Je n'en ferai rien. » Là-dessus le prince lui jeta une assiette à la tête, l'autre lui jeta un couteau ; ni l'un ni l'autre ne porta. On se met entre-deux, on les fait embrasser ; le soir ils se parlent au Louvre, comme si de rien n'était.

Madame de SÉVIGNÉ,
Lettre à Bussy-Rabutin, 25 nov. 1655

Au XVIIᵉ siècle, la brutalité physique est courante, on se bat avec la facilité qui est, de nos jours, l'apanage des cowboys de cinéma. On en use dans toutes les classes de la société. A la messe d'enterrement d'Henri IV, les gentilshommes s'arrachent les meilleures places à coups de pieds et de poings. Le goût qu'on avait pour cette façon de régler ses comptes était tel qu'on continua à se battre en duel bien après que ce fut interdit. A la cour du Roi Soleil, les nobles font rouer de coups les valets les uns des autres, en manière de vengeance ou pour se faire affront. Quant à leurs propres domestiques, lorsqu'ils ont des reproches à leur faire, ils les rossent, tout simplement. Pas étonnant, dans ces conditions, que La Salle (1695) essaye de ramener son monde à un peu plus de douceur :

Il est malhonnête, et c'est même une chose honteuse, de donner des coups de pieds à d'autres, en quelque partie du corps que ce soit ; cela ne peut être permis à personne, non pas même à un père à l'égard de ses domestiques.

Cependant, les domestiques, les « gens », comme les appelle Madame de Sévigné, n'étaient guère plus doux que leurs maîtres :

L'archevêque de Reims revenait hier fort vite de Saint-Germain, comme un tourbillon. S'il croit être grand seigneur, ses gens le croient encore plus que lui. Ils passaient au travers de Nanterre, tra, tra, tra ; ils rencontrent un homme à cheval, gare, gare ; ce pauvre homme se veut ranger, son cheval ne le veut pas ; enfin le carrosse et les six chevaux renversent cul par-dessus tête le pauvre homme et le cheval, et passent par-dessus et si bien par-dessus que le carrosse en fut versé et renversé : en même temps l'homme et le cheval, au lieu de s'amuser à être roués et estropiés, se relèvent miraculeusement, et remontent l'un sur l'autre, et s'enfuient et courent encore, pendant que les laquais et le cocher, et l'archevêque même, se mettent à crier : « Arrête, arrête le coquin, qu'on lui donne cent coups. » L'archevêque, en racontant ceci, disait : « Si j'avais tenu ce maraud-là, je lui aurais rompu les bras et coupé les oreilles. »

Madame de SÉVIGNÉ,
Lettre à Madame de Grignan, 5 février 1674

Brutalité avec les inférieurs, obséquiosité avec les supérieurs... L'obséquiosité vient peut-être d'une réaction excessive contre la tendance instinctive à tomber à bras raccourcis sur toute personne qui vous offense ou vous déplaît, quel que soit son rang. M. Magendie (1925) a vu dans *l'extrême complication de la civilité* du XVIIe siècle un antidote aux *manifestations spontanées des sentiments* car cette civilité substituait *des lenteurs apprêtées mais décentes, à l'impulsion naturelle, irréfléchie et souvent brutale.*

Ainsi, la lettre de menace tient une place tout à fait respectable dans les manuels du XVIIe siècle. Une lettre valait certes mieux qu'une provocation de vive voix, car elle laissait aux deux parties le temps de réfléchir et

de se calmer. On y trouve, sous les formules contrô-
lées, l'expression directe et même brutale de sentiments qui ne seraient plus de mise aujourd'hui (réclamer de l'autre sa « soumission », par exemple) :

*Monsieur, on m'a rapporté que vous aviez tenu, fort mal à
propos, quelque discours à mon désavantage. (...) Corrigez
donc votre plaidoyer, ou vous perdrez votre cause, et avec
dépens, je vous en avertis afin que vous ayez moins sujet de
vous plaindre. Et quand je vous verrai en cette soumission
nécessaire que j'attends de vous avec impatience, je
penserai si je dois être encore, comme j'ai été auparavant,
Monsieur, votre très-humble serviteur.*

LA SERRE, 1641

L'honnête homme

Mais aux plus délicats la menace elle-même parut
incompatible avec les bonnes manières. On découvrit
qu'on gagnait le respect moins en se faisant craindre
qu'en se faisant aimer. Et, pour se faire aimer, il n'y
avait que les bonnes manières :

La bienséance a de grands charmes pour attirer le cœur.

Et encore :
*On se défend avec peine d'avoir de l'inclination pour un
homme qui entre de bonne grâce dans une compagnie ; son
port même et sa mine persuadent qu'il a du mérite.*

J. de CALLIÈRES, 1658

A la place du courtisan dévoré d'ambition, un autre
homme deviendra le modèle à suivre, un être doux, qui
se tient dans un juste milieu et dont le désir est moins
de séduire par un discours élégant que de se faire bel et
bien aimer par une politesse dont la source est plus
profonde. C'est « l'honnête homme » que le chevalier
de Méré (1610-1684) définit ainsi :

Ce sont d'ordinaire des Esprits doux et des cœurs tendres ; des gens fiers et civils, hardis et modestes, qui ne sont ni avares ni ambitieux, qui ne s'empressent pas pour gouverner, et pour tenir la première place auprès des Rois. Ils n'ont guères pour but que d'apporter la joie partout, et leur plus grand soin ne tend qu'à mériter de l'estime, et qu'à se faire aimer. Il me semble aussi que les Dames qu'on souhaite et qu'on cherche le plus, ont, à peu près, les mêmes sentiments et les mêmes pensées. Ce n'est donc pas un métier que d'être honnête homme et si quelqu'un me demandait en quoi consiste l'honnêteté, je dirais que ce n'est autre chose, que d'exceller en tout ce qui regarde les agréments et les bienséances de la vie. Aussi de-là, ce me semble, dépend le plus parfait et le plus aimable commerce du monde.

Chevalier de MÉRÉ, 1700

La politesse vient donc du cœur. Elle l'attire, aussi. Les « bonnes manières » ont avec les sentiments des rapports étroits. Tantôt elles mettent un frein à ces sentiments, tantôt elles permettent de les exprimer tout en restant dans les bornes de ce qui est socialement acceptable. Le monde des bonnes manières est un monde feutré où l'on a souci de ne pas blesser (ou de le faire sans douleur), où l'on cherche au contraire à atténuer les souffrances et amplifier les joies.

Le reproche

Les manuels modernes se penchent peu sur le délicat problème des reproches. Ils ont tort. On a parfois l'occasion d'en faire... On peut vouloir être cinglant ou, au contraire, ne pas blesser celui à qui l'on s'adresse.

Pour La Salle (1695), il est *incivil et choquant de dire : Vous m'avez manqué de parole, vous m'avez trompé.* Il recommande l'emploi de formules telles que :

Apparemment, vous ne vous êtes pas souvenu, Monsieur...
et encore : *Peut-être que vous n'avez pas pu faire ce que vous m'aviez fait espérer...*

Certes, on n'évite pas toujours, dans les accès de fureur contre ses proches, les « T'aurais pas pu..., non ? » les « T'avais qu'à pas... »

Cependant, il y a des situations où il serait mauvais de se laisser aller. On adoucira donc ses propos. Les formules de La Salle ont leurs équivalents modernes : « Tu n'aurais peut-être pas dû... », « Vous auriez peut-être pu... », « Vous ne croyez pas qu'il aurait mieux valu... ? »

Certains préfacent leurs reproches d'un « Ce n'est pas pour vous faire des reproches... (mais j'aurais préféré que...) », « Je ne vous reproche rien, bien sûr..., (mais il me semble que...) ».

Tel manuel recommande que, dans le cas où l'on devrait faire un reproche à un subalterne, on le fasse tout de suite après lui avoir fait un compliment. Il est préférable aussi de ne pas le faire devant témoins, afin de ne pas humilier publiquement celui à qui le reproche s'adresse.

De même, si l'on est mécontent d'un produit acheté chez un fournisseur, mieux vaut attendre que son magasin soit vide pour lui en faire la remarque.

Enfin, le reproche peut atteindre à la plus exquise politesse :

Il me semble que l'esprit de politesse est une certaine attention à faire que par nos paroles et par nos manières les autres soient contents de nous et d'eux-mêmes.

LA BRUYÈRE, 1688-1696

Tel grand professeur d'orgue parisien, qui possédait au plus haut degré cet « esprit de politesse » et qui montrait vis-à-vis de ses élèves les plus médiocres une exquise courtoisie, avait l'habitude de les écouter jouer un morceau, et puis de dire, avec une grande gentillesse : « Madame, c'est parfait. Vous devenez une véritable organiste. Maintenant, si vous permettez à un vieux professeur de vous faire quelques remarques... » Et, bien entendu, pas une note n'échappait à ses « quelques remarques ».

La plaisanterie, la raillerie

L'art de la plaisanterie est essentiellement français, il est des plus délicats.

La Politesse française, 1924

Le même ouvrage rappelle l'anecdote suivante, comme exemple de plaisanterie française, mais plutôt lourde : Comme Bassompierre, qui avait été l'ambassadeur de Louis XIII à Madrid, racontait son entrée dans cette capitale, monté sur une mule envoyée par le roi d'Espagne, Louis XIII s'écria :

Ah ! il faisait beau voir un âne monté sur une mule !

Et la réponse de Bassompierre :

Tout beau, Sire, j'avais l'honneur de représenter Votre Majesté.

Les Français sont fiers de leur réputation de peuple moqueur. On imagine d'ailleurs qu'au XVIIe siècle, ils étaient loin d'avoir fait de ce goût un art très délicat puisque Courtin (1671) remarque :

C'est une très méchante raillerie de se moquer d'une personne, par exemple, à cause qu'elle sera borgne, boiteuse, etc., car ce n'est pas sa faute.

Courtin distingue entre la raillerie qui offense, parce qu'elle porte sur un sujet qui tient à cœur à la personne que l'on raille, et celle qui, ne piquant pas au vif, est par conséquent moins méchante :

De railler sur la fuite d'un homme d'épée, qui aura lâché le pied dans quelque occasion, l'offensera bien plus que de le railler sur ce qu'il aura fait un mauvais compliment. De

railler de ce qu'une Dame se sera ajustée et fardée pour un
mauvais dessein l'offensera bien plus que de la railler de ce
qu'elle se serait fardée et ajustée pour quêter dans une
Église.

Ibid.

Le comble de l'art de la raillerie sera de désamorcer
l'ironie de l'autre, en se moquant de soi mieux qu'il
ne l'aurait fait lui-même : on l'écrasera ainsi par une
raillerie bien plus spirituelle et plus mordante que ne
l'était la sienne. C'est un talent qu'il faut cultiver si,
comme Cyrano, tel point vulnérable fait de vous une
cible facile. On ne citera que quelques vers de la
célèbre tirade par laquelle il ridiculise le vicomte qui
n'a rien trouvé de plus spirituel à lui dire que :

Vous... vous avez un nez... heu... un nez... très grand.
CYRANO *(imperturbable) : C'est tout ?...*
LE VICOMTE : *Mais...*
CYRANO : *Ah ! non ! c'est un peu court, jeune homme !*
On pouvait dire... Oh ! Dieu !... bien des choses en
somme...
En variant le ton, — par exemple, tenez :
Agressif : « Moi, monsieur, si j'avais un tel nez,
Il faudrait sur-le-champ que je me l'amputasse ! »
Amical : « Mais il doit tremper dans votre tasse :
Pour boire, faites-vous fabriquer un hanap ! »
Descriptif : « C'est un roc !... c'est un pic... c'est un cap !
Que dis-je, c'est un cap ?... C'est une péninsule ! »

Edmond ROSTAND, *Cyrano de Bergerac*, 1897

Une raillerie douce, légère peut être, entre bons amis,
une marque d'affection, une preuve que même les
petits ridicules de l'autre vous sont chers...

L'objet de la raillerie doit tomber sur des défauts si légers
que la personne intéressée en plaisante elle-même. La
raillerie délicate est composée de louange et de blâme. Elle
ne touche légèrement sur de petits défauts que pour mieux
appuyer sur de grandes qualités.

Marquise de LAMBERT, 1728

Les excuses

Je suis fâché de vous avoir apostrophé, j'étais hors de moi, je vous tiens pour homme d'honneur, déclare Gaudissart à l'ancien teinturier, après leur duel (Balzac, *L'Illustre Gaudissart*, 1832). C'est une façon de s'excuser sans prononcer le mot, l'honneur est sauf de part et d'autre. Il n'était pas rare, jadis, qu'un homme se battît plutôt ｅ de présenter des excuses (on ignore ce que faisaient les femmes en pareil cas). De nos jours, si l'on a le sens de l'honneur moins chatouilleux, il n'en demeure pas moins que s'excuser n'est pas toujours agréable.

Arrive-t-on en retard à un rendez-vous, a-t-on oublié de rendre un coup de téléphone, ce sont là péchés véniels, pour lesquels on n'éprouve aucune difficulté à présenter ses excuses. On dira : « Excusez-moi, je suis désolé... », on écrira : « Je vous prie de m'excuser, d'excuser mon oubli, mon retard », ou encore : « Je vous fais toutes mes excuses ». On évitera « Je m'excuse », qui est incorrect. Si l'on a bousculé quelqu'un,

si on lui a marché sur le pied, si on le fait lever au milieu d'un spectacle pour pouvoir gagner sa place, on dit « Pardon », « Excusez-moi » (que l'on ne prononce pas *escusez...*). Tout cela est évident et très facile. Ce qui est difficile, c'est reconnaître de véritables torts. Ce n'est plus seulement présenter des excuses, c'est demander le pardon, c'est-à-dire demander à la personne que l'on a offensée d'oublier votre faute.

Un certain nombre de formules facilite cette tâche délicate et humiliante :

« Pardonnez ma maladresse », pourra-t-on écrire. La maladresse a bon dos et personne n'est dupe. Cependant le pas est fait ; à l'autre de montrer sa bonne volonté.

Si on tient à ne pas faire seul les frais de la réconciliation, on pourra dire aussi : « Je suis prêt à vous (te) présenter mes excuses, mais n'avez-vous (n'as-tu) pas vos (tes) torts aussi ? »

On peut être plus courageux, et dire, ou écrire : « J'ai été brutal (grossier, égoïste, méchant, cruel, insensible, un monstre, stupide, intolérant, intolérable, capricieux, tyrannique, méprisant, dégoûtant ou les mêmes au féminin) ; je comprends très bien que tu m'en veuilles, je regrette de m'être aussi mal conduit, pourras-tu jamais me pardonner ? » Mais l'excès dans ce domaine peut facilement passer pour coquetterie plutôt que pour sincérité !

Les félicitations

Il est aisé de féliciter chaudement les gens, quand on n'a pas de jalousie dans l'âme...

STAFFE, 1889

Et si on éprouve de la jalousie ? On tâchera de la cacher... On évitera, recommande toujours la baronne, les félicitations empoisonnées :

*Un jeune homme ou une jeune fille fait un beau mariage ;
félicitez chaudement, affectueusement, mais simplement.
Ne poussez pas des « Vraiment ! », des « Oh ! », des « Pas
possible ! » « Mon Dieu que vous devez être heureuse ! et
vos parents ! » Vous sentez l'impertinence... Un avancement, un succès quelconque ne doit pas vous étonner
davantage. Ceux qui l'ont obtenu en étaient dignes.
Montrer de la surprise exprimerait sans paroles : « Est-ce
bien loyalement, bien légitimement gagné ? »*

Ibid.

Bien sûr, si l'on sait parfaitement que cet avancement,
ce succès ont été obtenus par les moyens les plus
malhonnêtes, on pourra multiplier, au contraire, les
« Oh ! », les « Ah ! », les « Pas possible ! » sur un ton
d'admiration visiblement feinte, qui laissera poindre le
mépris... Cela à condition d'être sûr de n'avoir jamais
besoin des services de la personne en question, à qui
n'aura pas échappé ce que recouvrent ces propos.

Certains manuels du siècle dernier conseillent d'ailleurs de ne pas se précipiter chez une personne qui
vient d'être élevée à un poste important ; une telle
démarche peut faire passer le visiteur pour un sollici-
teur trop empressé...

Mieux vaut écrire une lettre de félicitations. Là encore,
il faut savoir ménager toutes les susceptibilités... et
l'avenir.

*C'est une chose assez rare que de savoir manier la louange
et de la donner avec agrément et avec justice. Le
misanthrope ne sait pas louer ; son discernement est gâté
par son humeur. L'adulateur, en louant trop, se discrédite
et n'honore personne. Le glorieux ne donne de louanges que
pour en recevoir... Les petits esprits estiment tout parce
qu'ils ne connaissent pas la valeur des choses... L'envieux
ne loue personne par peur de se faire des égaux.*

Marquise de LAMBERT, 1728

Les compliments

Que vous êtes joli ! que vous me semblez beau !

Il y a des compliments que l'on ne fait que pour obtenir un fromage. C'est sans doute dans cette catégorie qu'il convient de ranger les interminables et merveilleux compliments au roi, qui préfacent un grand nombre de livres publiés sous l'Ancien Régime, et dont voici un exemple :

Un autre que moi, Sire, prendrait peut-être occasion de faire ici les Éloges de Votre Majesté ; et à n'en point mentir, il serait excusable, puisque, pour peu que l'occasion se présente de parler hautement d'Elle, il est difficile de la laisser échapper. (...) Et comme je sais, Sire, que vous êtes religieux sans superstition, que vous êtes hardi sans témérité, que vous êtes prudent sans artifice, que vous êtes juste sans rigueur, que vous êtes magnifique sans profusion, que vous êtes accessible sans familiarité, que vous êtes expéditif sans relâche, et que pour étendre ces vertus qui sont les Vertus que l'Histoire attribue à Saint Louis, il faudrait à ma veine l'étendue de plusieurs volumes, je laisserai présentement à ceux qui ont le secret de pousser en peu de paroles les qualités d'un grand Roi, le soin de vous ériger d'illustres Monuments...

René BARY, 1662

Il y a mille façons de faire des compliments. Certains compliments sont à double tranchant et, par conséquent, très vexants : dire, par exemple, à une amie qui n'est plus très jeune : « Que vous êtes belle, ce soir, vous avez l'air en pleine forme, on ne vous donnerait vraiment pas votre âge, non, honnêtement, on vous donnerait bien dix ans de moins ! » Ou faire comme cette jeune fille qui, rencontrant dans un jardin public une mère qui promenait son bébé, s'exclama bien étourdiment : « Mon Dieu, quel bébé magnifique ! Comme le père doit être beau ! »

Un certain type de flatterie galante semble avoir été prisé dans les salons du siècle dernier :

LA DAME — *Vous rappelez-vous Madame une telle, à telle fête ?*

L'HOMME DU MONDE — *Non !... je ne me la rappelle pas !*
— Comment, mais vous avez dansé avec elle ! Elle avait une toilette rouge lamée or, elle était si jolie ! Mais vous venez de me dire cependant que j'avais du muguet dans les cheveux, ce jour-là !
— Je me rappelle de vous, mais pas d'elle. (sic)
La femme d'esprit, tout en n'ajoutant pas d'importance à ces banalités, sait gré à l'homme qui veut bien prendre la peine de les lui dire et en est flattée.

Louise d'ALQ, 1881

De nos jours, beaucoup de femmes ne seraient pas flattées du tout par ce genre de compliment reposant un peu trop évidemment sur l'axiome de l'éternelle rivalité féminine.

Enfin, il y a les compliments tellement excessifs qu'il est impossible à la personne qui en est l'objet de les prendre au sérieux. « Cette robe est ravissante, elle vient certainement de chez un grand couturier, et votre collier, de l'or, bien entendu, quelle chance vous avez, votre mari vous couvre de bijoux... » Pour peu que la robe soit vieille et le collier visiblement en toc, ce déluge de paroles flatteuses ne fera aucun plaisir.

Ceux-là se trompent fort qui mettent tous leurs compliments en hyperboles qui se détruisent elles-mêmes, mettant ainsi l'éclat et la beauté d'une Dame au-dessus du Soleil, et faisant honte à la Neige et au Lys, en parlant de sa blancheur, qui rendent les roses toutes pâles et le corail tout jaune, à la vue des lèvres et des joues vermeilles de ces Vénus imaginaires...

COURTIN, 1671

Enfin, si l'on veut plaire,
il ne faut jamais louer personne extraordinairement.

LA SALLE, 1695

Comment répondre à un compliment ?

Si je ne vous savais pas si bienveillant (ou si bon), je croirais vraiment que vous vous raillez de moi.
Votre indulgence vous aveugle.

CELNART, 1837

Il règne depuis longtemps la plus grande incertitude sur la façon de répondre à un compliment. Chaque époque a une conception différente de la chose, et les auteurs offrent des solutions variées :

C'est manquer de respect à une personne que de lui répondre, comme font la plupart, quand elle vous dit quelque chose d'obligeant ou qu'elle répugne à notre civilité : « Vous vous moquez, Monsieur. » Il ne faut point du tout se servir de cette façon de parler mais tourner la phrase autrement, et dire : « Vous me donnez de la confusion, Monsieur. »

COURTIN, 1671

Tout en donnant des détails plus précis, La Salle (1695) ne simplifie pas les choses. On a le choix entre refuser le compliment, y couper court ou bien l'accepter respectueusement et silencieusement :

Lorsqu'on est loué, il ne faut pas en témoigner de la joie, c'est une marque qu'on aime à être flatté; mais il faut s'excuser honnêtement, en disant, par exemple : « Vous me faites de la confusion, je ne fais que mon devoir, etc. » Il serait mieux encore et plus sage de ne rien dire, et de rompre le discours, ce qui ne serait pas une incivilité. Que si c'était une personne beaucoup supérieure qui vous loue, il faut la saluer honnêtement, comme pour la remercier, sans lui répondre, car votre réponse serait un manque de respect.

Aujourd'hui, certains adoptent la façon anglo-saxonne, qui est de remercier. En effet, aux États-Unis, par exemple, que l'on complimente une personne sur la propreté de sa maison, la richesse de sa collection de disques, le choix de sa cravate, l'immense intérêt de la conférence qu'elle vient de donner, la belle tenue de son jardin potager, ou la beauté de ses yeux, elle répondra invariablement : « Merci », en ajoutant parfois : « Vous êtes bien aimable. »

En France, au contraire, il est de bon ton de paraître refuser un compliment, comme si on ne le méritait pas vraiment : « Ma robe, jolie ? Vous voulez rire (ou : vous êtes fou), je l'ai trouvée dans le grenier de ma grand-tante (aux Puces pour dix francs, ma sœur me l'a donnée parce qu'elle n'en voulait plus... d'ailleurs elle a un défaut) ». Ou bien, d'un ton badin : « Élégant, moi, mais bien sûr, je suis toujours élégant, voyons ». Incrédule : « Tu trouves mon article intéressant, vraiment ? », « Ah, oui ? tu trouves ça réussi ? ». On remercie parfois indirectement, en disant : « Vous êtes gentil de dire ça, vous êtes trop aimable... »

Pour les Anglais, avoir l'air de refuser un compliment, c'est en quêter d'autres. Ils n'ont peut-être pas tort, ainsi que le montre cette « conversation galante » du XVIIᵉ siècle.

ARTABANE. — *Arténice, Madame, m'a honoré du port de cette lettre et j'ai accepté d'autant plus volontiers cette commission que j'avais une passion extraordinaire de vous faire la révérence.*

CARICLÉE. — *Vraiment, Monsieur, vous me surprenez ; j'ai cru jusques ici qu'il n'y avait rien en ma personne qui pût faire naître une passion si obligeante.*

ARTABANE. — *Votre erreur, Madame, est inexcusable, les yeux la combattent.*

CARICLÉE. — *Ce sont souvent de mauvais juges.*

ARTABANE. — *Vous ne feriez pas trop bien, à mon avis, si vous les récusiez ; toute la nature raisonnable prendrait leur parti...*

BARY, 1662

Certains ont l'art de faire de jolis compliments et de belles réponses. Eugène Muller (1865) raconte l'anecdote suivante :

Un jour, Chateaubriand, fort âgé, se trouvait dans un salon avec Rachel encore toute jeune, et déjà l'objet de l'admiration générale.

— Quel malheur, Mademoiselle, dit l'écrivain à la tragédienne, qu'il faille mourir quand apparaissent de si belles choses !

— Mais, Monsieur, répliqua vivement la jeune fille, il y a des hommes qui ne meurent jamais.

La sympathie active

On court immédiatement chez les gens atteints d'un désastre ou d'un désagrément. Si l'on n'est pas très intime avec eux, on ne reste pas très longtemps avec eux, on leur exprime en peu de mots sa sympathie, les vifs regrets du malheur qui leur arrive...

STAFFE, 1889

La baronne prévoit d'ailleurs toutes les éventualités :

Dans le cas où le malheur qui vous fait accourir serait un de ceux dont on n'aime pas à parler, pour lesquels il n'est pas de consolations, un de ceux dont on rougit, alors même qu'il est immérité, mieux vaudrait apporter sa carte cornée. (...)

Nous ajouterons, même, que si une personne que nous avons aimée ou que nous avons admise dans notre intimité, vient à faillir, nous avons le devoir de lui tendre une main secourable.

Ibid.

Et la baronne, qui pourtant ne plaisante pas sur les principes, raconte l'histoire d'une jeune fille qui refusa de saluer une ancienne amie dont la réputation était « entachée », ajoutant que *le procédé fut trouvé barbare, car celle envers qui on l'avait employé faillit en mourir de honte et de douleur.*

Les manuels de savoir-vivre sont toujours un peu des manuels de morale, enseignant, en somme, à ceux qui « n'ont pas de cœur » à faire comme s'ils en avaient. Et une fois l'habitude prise... Un ouvrage contemporain de celui de la baronne Staffe donne, dans le même esprit, des indications fort précises sur la conduite à tenir pendant une visite de condoléances :

On ne demande pas de nouvelles de sa santé à une personne à laquelle on va faire une visite de condoléances.

BASSANVILLE, 1867

Et encore (ce genre de précision n'était sans doute pas inutile) :

On s'abstient de parler de toute chose gaie pendant une visite de condoléances, et on ne parle jamais de soi ni des siens.

Ibid.

Certes, les langues vont souvent bon train en ce genre de circonstances, mais il vaut mieux laisser à quelqu'un d'autre le plaisir de prononcer d'un ton sentencieux :

« Il est plus heureux maintenant. »

« Il est bienheureux, il ne souffre plus. »

« On dirait qu'il dort. »

« Il ne s'est pas senti mourir. »

« Ça vaut mieux comme ça. »

De même, les gens bien élevés s'abstiendront de conseils bien intentionnés : « Il faut surmonter votre douleur, voyons, elle n'aurait pas voulu vous voir dans cet état-là » ; ainsi que de propos consolateurs : « Vous avez encore de belles années devant vous, vous vous remarierez certainement ».

ENTERREMENT. *A propos du défunt : « Et dire que je dînais avec lui il y a huit jours ! »*

FLAUBERT, Dictionnaire des Idées reçues

Encore une remarque qu'il vaut mieux laisser à quelqu'un d'autre...

Le tact ou quand le code vient à manquer

(Swann vient d'annoncer à la duchesse de Guermantes qu'il n'a que trois ou quatre mois à vivre)

« Qu'est-ce que vous me dites là ? » s'écria la duchesse en s'arrêtant une seconde dans sa marche vers la voiture et en levant ses beaux yeux bleus et mélancoliques, mais pleins d'incertitude. Placée pour la première fois de sa vie entre deux devoirs aussi différents que monter dans sa voiture pour aller dîner en ville, et témoigner de la pitié à un homme qui va mourir, elle ne voyait rien dans le code des convenances qui lui indiquât la jurisprudence à suivre (...) et pensa que la meilleure manière de résoudre le conflit était de le nier. « Vous voulez plaisanter ? » dit-elle à Swann.

PROUST, Le Côté de Guermantes

Chacun peut se demander ce qu'il ferait en pareille circonstance. Même pour ceux qui ne sont pas d'un égoïsme aussi forcené que celui de la duchesse, la réponse n'est pas nécessairement évidente.

Le manque de tact vient presque toujours d'une sorte d'égoïsme plus ou moins brutal, qui rend incapable de se mettre à la place d'autrui. Il s'agit parfois de simple maladresse, plus souvent d'indifférence ou de mépris envers ses semblables. Tout le monde a, dans son folklore familial, quelque bonne histoire qui immortalise un abominable manque de tact devenu légendaire. En voici un exemple : Pendant la dernière guerre, une jeune femme dont le mari avait une situation assez importante dans une société lyonnaise se trouva obligée de recevoir à déjeuner un client de la société et sa femme. Obligation qui lui coûtait car elle avait plusieurs enfants et les vivres n'étaient pas abondants. Elle fait de son mieux. Les invités arrivent, la dame portant une grosse plante verte qu'elle tend à son hôtesse. Celle-ci s'exclame sur la beauté de la plante, s'apprête à remercier, quand la dame lui dit, avec un charmant sourire : « Ça ne vous ennuierait pas de la mettre au frais pendant que nous déjeunons ? Je veux la porter cet après-midi à ma crémière. »

Il arrive, bien sûr, qu'on blesse sans le vouloir. Pour éviter le « manque de tact » en toutes circonstances, il faudrait être toujours sur ses gardes ! Ainsi le jeune homme qui, vers la fin d'un grand dîner, charmé par l'esprit et la vivacité de sa voisine, une dame d'une soixantaine d'années, s'écria étourdiment : « Ah ! Madame, comme je regrette de ne pas vous rencontrer jeune, comme vous m'auriez plu ! » Sa voisine, très offensée, lui répondit : « Mais, Monsieur, je ne sais pas du tout si vous m'auriez plu, à moi ! » Ils se levèrent de table, peu après, mécontents l'un de l'autre et ne s'adressèrent plus la parole.

Le jeune homme aurait certainement pu tourner la chose autrement, de façon à faire plaisir, parler des bons moments qu'il venait de passer, dire qu'il y avait longtemps qu'il n'avait eu une conversation aussi agréable. A l'extrême rigueur il aurait pu dire qu'il regrettait d'être venu trop tard pour avoir pu prétendre à la main de cette dame... Mais il ne faut pas abuser de ce genre de compliments.

Mademoiselle et chère fiancée,
Vos excellents parents ~~ont~~ toutes les
bontés, et puisque une voie sépare encore de vous je profite avec bonheur
de l'autorisation qu'ils me ~~de~~ donnent
de ~~de~~ vous écrire...

L'amour

C'est des désirs et des desseins des hommes, de la pudeur et de la retenue des femmes, que se forme le commerce délicat qui polit l'esprit et qui épure le cœur : car l'amour perfectionne les âmes bien nées. Il faut convenir qu'il n'y a que la Nation Française qui se soit fait un art délicat de l'amour.

Marquise de LAMBERT, 1727

Et la marquise, comparant les amours des Français à ceux des Italiens et des Espagnols, remarque que chez ces derniers, comme les femmes sont enfermées, les amants n'ont que des obstacles extérieurs à vaincre et n'en trouvent plus chez l'objet de leurs vœux. Pour conquérir une Française, il ne suffit pas d'endormir un vieux père vigilant ni d'escalader quelques grilles. *Vous connaissez l'humeur des filles de ce temps, qui veulent être prises par les oreilles,* écrivait déjà en 1640 le sieur du Périer, qui propose une douzaine de modèles de lettres pour un gentilhomme désireux d'entretenir avec sa « maîtresse » une correspondance suivie et, si possible, brillante.

« Mes belles amours... »

Henri IV n'avait pas de modèle à sa disposition et ne paraît pas en avoir eu besoin. Ce billet adressé à Gabrielle d'Estrées porte la marque d'une éloquence naturelle :

Mes belles amours, ce sera demain que je baiserai ces belles mains par million de fois ; je ressens déjà du soulagement en mes peines par l'approche d'un tel heur, que je tiens cher comme ma vie ; mais si vous me le retardez d'un jour seulement, je mourrai...

Il n'a, bien entendu, aucune intention de mourir et, quatre ans plus tard, en 1597, il écrit à la même Gabrielle un petit mot où il se montre très content d'elle et de lui-même :

Mes chères amours, il faut dire vrai, nous nous aimons bien ; certes pour femme, il n'en est point de pareille à vous ; pour homme, nul ne m'égale à savoir bien aimer. Ma passion est toute telle que quand je commençais à vous aimer ; mon désir de vous revoir, encore plus violent qu'alors ; bref je vous chéris, adore et honore miraculeusement.

Qu'il ait été ou non le meilleur des amants, Henri IV n'avait pas son pareil pour bien tourner un poulet ! On pourra donc très bien s'inspirer de ces deux lettres quand on aura à écrire un billet doux...

On peut aussi s'inspirer des très belles lettres de Diderot. Sentimentales, avec quelque chose de sensuel et de bon enfant qui les empêche de tomber tout à fait dans la mièvrerie (on remarquera le passage très libre du tu au vous).

... Si je pouvais vous assoupir d'un sommeil de deux mois, je le ferais d'autant plus volontiers que le pouvoir de t'envoyer le sommeil supposerait un peu celui de te faire faire des rêves et que je t'en ferais de jolis, rarement

pourtant. Pour Dieu, dites-moi si vous avez reçu mes lettres ; dites-moi comment je vous enverrai votre boîte. Je baise tes deux dernières lettres. Ce sont les caractères que tu as tracés ; et à mesure que tu les traçais, ta main touchait l'espace que les lignes devaient remplir, et les intervalles qui les devaient séparer. Adieu, mon amie. Vous baiserez au bout de cette ligne, car j'y aurai baisé aussi ; là, là. Adieu.

DIDEROT, à Sophie Volland, 31 août 1760

Saura-t-on toujours s'adresser à l'aimé(e) d'aussi belle manière ? Certes, les « mon chéri », « mon amour », « mon cœur » et les noms d'animaux — « mon (gros) lapin », « mon (petit) chat », « minou » et « minette » étant les plus fréquents, suivis de « ma gazelle » et de « ma biche » — sont virtuellement inépuisables, mais pas du goût de tout le monde...

Alors, si l'on a envie de faire montre d'un peu de recherche et d'originalité, pourquoi ne pas ressusciter certaines expressions anciennes ? On risque de paraître affecté ? Qu'importe ! Le ou la destinataire sourira ? Tant mieux !

On écrira, comme Henri IV, « Mon tout », « Mon cher cœur », ou, comme Aucassin disait à Nicolette, « Ma très douce amie », « Belle douce amie »...

On multipliera les expressions de tendresse, sans craindre la redondance, (elle est impossible quand il s'agit d'amour !). Voici un choix de formules, tirées du *Petit Jehan de Saintré* d'Antoine de la Salle (xve siècle). On peut commencer par celles-ci, qui sont charmantes, et puis en inventer d'autres...

Pour s'adresser à une femme : *Ma très redoutée dame, ma déesse et mon seul bien;*

Pour lui dire au revoir : *Et adieu, ma dame, celle qui me peut plus commander et que je dois et veux plus obéir.*

La femme pourra répondre en ces termes :

Mon très loyal désir;
Mon seul ami et ma très douce pensée;
Mon vrai ami, mon cœur et ma très joyeuse pensée, etc.

Modèles de lettres pour amants modèles

Si toutefois le sentiment ne parvient pas à donner de l'esprit, alors le recours à des manuels sérieux s'impose. Au XVIIe siècle, outre du Périer déjà cité, La Serre (1641) juge utile de confectionner des modèles de lettres d'amour ainsi que des modèles de lettres de déclaration. Ce dernier genre est très important, puisque l'amant doit y montrer qu'il est « honnête homme », c'est-à-dire très poli et que sa passion ne l'empêche pas d'avoir du style !

Mademoiselle, il faut de nécessité pour mon repos, que je vous déclare le dessein que j'ai de vous aimer, et de vous servir, si vous me jugez digne de cet honneur ; votre mérite m'y oblige et mon inclination m'y contraint ; je ne suis en peine que de savoir votre volonté, pour me déterminer une dernière fois, à faire profession publique de la qualité, Mademoiselle, de votre très humble serviteur et très obéissant.

La réponse de la jeune personne (il est d'ailleurs hasardé de la supposer jeune, car dans les cercles précieux, il était de bon ton de rester fille aussi longtemps que possible) doit être très vague :

Monsieur, j'étais résolue à garder le silence, ne sachant que vous répondre, sur le sujet dont vous avez pris la peine de m'écrire ; mais puisque vous désirez avoir de mes lettres, celle-ci vous dira que je n'ai point d'autre volonté que de vous honorer extrêmement, comme votre mérite m'y oblige, et qu'en revanche de vos civilités, je me ferai remarquer en tous lieux, Monsieur, votre très humble servante.

Ibid.

Le genre fit fortune et l'on peut admirer ces modèles de lettres de fiancés donnés par la comtesse de Gencé (1871) : on appréciera la sentimentalité un peu fade et très convenable jointe à une certaine habileté (de sa part à lui surtout) à manier les formules et les lieux communs.

Mademoiselle et chère fiancée,

Vos excellents parents ont toutes les bontés, et, puisque me voici séparé encore de vous pour quelques jours, je profite avec bonheur de l'autorisation qu'ils me donnent de vous écrire.

Comme je pense à vous sans cesse, représentez-vous que cette lettre n'est qu'un faible écho de ma pensée. Je passe ma vie actuelle à vous attendre et à espérer la venue du jour heureux où je pourrai vous exprimer librement toute ma tendresse.

Malheureusement, je n'ai personne ici à qui confier mes impressions et, depuis que je sais que vous consentez à devenir ma femme, je recherche la solitude qui me permet de vivre avec votre image et d'oublier tout le reste du monde.

Quelque chose me dit qu'en ces mêmes moments votre pensée se dirige un peu vers moi et que vous placez en moi une large part de votre espoir de bonheur. Vous ne serez pas trompée, ma chère fiancée, et vous ne sauriez croire avec quelle ardeur j'aspire à vous procurer toutes les félicités de la vie.

J'espère bientôt courir vers vous. Huit jours encore ! Huit jours sont peu de chose en temps normal, pour des indifférents. C'est comme un siècle lorsqu'ils retardent l'expression d'une affection aussi profonde que celle dont je me permets de déposer à vos pieds le respectueux hommage.

Votre fiancé tendrement dévoué,

Lucien

Mon cher fiancé,

Votre lettre m'a comblée de joie. Elle répond si complètement aux sentiments que j'éprouve moi-même à votre égard ! Assurez-vous bien que je désire vivement vous revoir et causer avec vous des mille choses d'avenir auxquelles je pense toute seule ou même dont je m'entretiens avec papa et maman qui vous aiment beaucoup et sont ravis de notre projet.

Je reçois de tous les côtés des compliments qui me sont très agréables. On me félicite de vous avoir choisi et tout le monde me promet en vous un mari parfait. Quelle que soit la bonne opinion que les autres ont de vous, j'ai la mienne propre, bien plus sympathique encore, car je vous connais depuis trop longtemps pour ne pas savoir vos grandes qualités, votre loyauté et votre délicatesse.

Ne croyez pas que je ne compte pas moi-même les jours qui me séparent de votre bonne visite et les heures pendant lesquelles je dois attendre l'arrivée du courrier. Je vous félicite pour votre exactitude : vos lettres arrivent régulièrement chaque matin ! Je les lis et les relis bien souvent jusqu'à ce qu'il en vienne de nouvelles auxquelles je réserve le même sort. Votre chère correspondance ne me quitte pas et m'aide à supporter votre absence pendant cette période d'attente un peu énervante.

Bonsoir, mon cher fiancé. N'oubliez pas que je pense beaucoup à vous. Vous êtes tout pour moi, désormais! Croyez aux sentiments bien affectueux de votre

Odette

L'en-tête et la fin de ces deux lettres couraient d'ailleurs le risque de paraître un peu libres. D'autres manuels suggèrent de commencer simplement par *Cher Monsieur Jules, Chère mademoiselle Clara,* et de terminer, elle par *l'assurance de ses sentiments affectueux,* lui par *l'expression de sa respectueuse affection.* (Tramar, 1905)

Naturellement, les lettres seront toujours transmises par les parents de la jeune fille.

Lettres de reproche à l'aimé(e)

Se croit-on mal aimé? On jure qu'on en mourra. Le procédé n'est pas nouveau. Au XVIᵉ siècle, un auteur, qui pourrait n'être que Pontus de Tyard, poète, philosophe et évêque de Chalon (!), a imaginé une correspondance entre un personnage royal et sa maîtresse, dame d'honneur d'une princesse. Ces modèles sont d'autant plus précieux qu'ils étaient fort rares à l'époque et ne devinrent communs qu'au siècle suivant. Dans cette lettre, la dame se plaint :

Mon mignon, ne vous plaisez à ruiner une âme toute à vous bien qu'il soit vrai que les femmes ne meurent point de déplaisir, si est-ce que, perdant vos bonnes grâces, le

désespoir me précipitera au tombeau et je m'assure que
vous aurez regret d'avoir fait perdre celle qui vous aime...

PONTUS DE TYARD (?), 1578-1589)

La réponse n'est pas assez tendre, et la dame se plaint à
nouveau ; cette fois, elle reproche à son ami son style,
trop distant :

Oubliez ce nom de Madame, mon cher ami, et ne me
donnez mille morts auparavant l'extrême. Il n'y a rien qui
puisse arrêter le cours de mes larmes, que d'en perdre entre
vos bras l'occasion...

Ibid.

L'Amant se montre plus philosophe :

Vivez, mon cœur, et ne vous imaginez que le présent et le
passé, l'avenir trouvera sa consolation et la souvenance du
passé nous soulagera en notre misère. Je finis avec ma
lumière et vous dis bon soir, maîtresse que j'ai plus chère
que la prunelle de mon œil.

« Cet amour permis... »

Au XVIIᵉ siècle, le mariage n'a pas grand-chose à voir avec l'amour, et ceux qui s'occupent d'amour ne s'intéressent pas au mariage ; ils ne sont, en tous cas, pas pressés d'y arriver : Julie d'Angennes restera fiancée environ quatorze ans au duc de Montausier avant de l'épouser enfin, à trente-huit ans.

Rien ne montre mieux comment amour et mariage pouvaient s'ignorer l'un l'autre que ce dialogue entre un jeune homme désireux de « faire l'amour en style poli » et sa belle, qui se montre d'emblée une petite bourgeoise au bon sens très prosaïque !

Mademoiselle, à ce que je puis juger, vous n'avez pu manquer de faire une heureuse quête, avec tant de mérite et tant de beauté.
— Hélas, Monsieur (répartit Javotte avec une grande ingénuité), vous m'excuserez ; je viens de la compter avec le père sacristain : je n'ai fait que soixante et quatre livres cinq sous.

Le jeune homme finit par accuser Javotte de se moquer de lui, se déclare le plus passionné de ses amoureux, d'une passion *toute honnête et toute pure.*

— C'est donc, Monsieur (répliqua Javotte), que vous me voulez épouser ? Il faut pour cela vous adresser à mon papa et à maman : car aussi bien je ne sais pas ce qu'ils me veulent donner en mariage.
— Nous n'en sommes pas encore à ces conditions (reprit Nicodème) ; il faut que je sache si vous agréerez que j'aie l'honneur de vous servir.
— Monsieur (dit Javotte), je me sers bien moi-même, et je sais faire tout ce qu'il me faut.

FURETIÈRE, *Le Roman bourgeois*, 1666

Au XIXᵉ siècle, le mariage bourgeois est plus que jamais un contrat passé entre deux familles, mais on y mêle le sentiment, un « amour permis », soigneusement dosé.

Les chapitres sur les fiançailles et le mariage étaient certainement les préférés des auteurs de manuels, qui pouvaient s'attendrir sur la fraîcheur de la fiancée, s'émouvoir de son trouble, sans négliger les belles étoffes et les pièces d'or de la corbeille de mariage. Tout d'abord, dès qu'on est tombé d'accord sur les questions d'argent,

le prétendant revêt ses habits de cérémonie et fait immédiatement, aux parents de la jeune fille, une visite au cours de laquelle on appelle celle-ci. Cette entrevue réclame beaucoup de tact de la part du futur *(il est déjà plus que prétendant). Il remercie avec une certaine chaleur, mais sans exagération. La froideur serait malséante, mais l'expression de bonheur doit être contenue.*

STAFFE, 1889

Après les fiançailles, on permet aux fiancés de faire connaissance : sans isoler les fiancés, on s'arrangera pour qu'ils puissent causer sans être entendus... on ne les laisse jamais seuls ; mais on n'affecte pas de monter la garde autour de cet amour permis.

Ibid.

Le portrait

Depuis que l'on fait des portraits, les hommes (et les femmes) ont aimé avoir près d'eux, sur leur cheminée ou leur table de nuit, ou mieux, contre leur cœur, dans un médaillon (plus récemment, dans un portefeuille) l'image de l'être aimé. Voici en quels termes un soupirant du XVIIe siècle pouvait demander à sa belle de lui donner son portrait. Il y avait toutes les chances, d'ailleurs, pour que le monsieur eût déjà dépassé le stade de soupirant, car posséder le portrait d'une femme constituait la preuve d'une certaine intimité :

Mademoiselle,

Je crois que vous aurez agréable la très humble prière que je vous fais, de me donner votre portrait, sachant que j'estime l'original plus que toutes les choses du monde. Ce beau corps, dont vous animez avec tant de douceur les appas et les grâces, m'a paru si vénérable, que je soupire tous les jours après son ombre. Vous soulagerez donc quand il vous plaira mon impatience ; en l'attente de cette faveur, vous assurant que je la mettrai au rang des plus grandes

fortunes qui me pourraient arriver, pour témoigner le ressentiment qui m'en demeure, en qualité, Mademoiselle, de votre très humble serviteur.

LA SERRE, 1641

Quand les photographies apparurent, leur usage a d'abord été aussi restreint que naguère celui des portraits.

Une femme bien élevée, à moins qu'elle n'ait l'âge des aïeules, n'accorde jamais la demande qu'un homme peut lui faire de sa photographie, écrit la Baronne Staffe.

Cependant l'usage se répand bientôt pour les fiancées de donner leur photographie à leur fiancé et même *il est aimable* de le consulter *pour la pose et le choix du costume.* (Liselotte, 1919.) Une fois la photo faite, il faut la signer. Pour les jeunes filles qui manqueraient d'imagination, le même ouvrage suggère tout un choix de formules : un peu plat, le pudique : « A mon fiancé. » ; sentimental (et optimiste) : « A celui que j'aime pour la vie. » « En souvenir d'un beau jour » devait laisser rêveurs les enfants qui la déchiffraient une décade plus tard...

Et encore : « A mon héros » (nous sommes en 1919) ; « Au futur compagnon de ma vie » ; « A celui que j'ai choisi entre tous » ; etc.

Le fiancé qui offre, lui aussi, une photo, si possible en uniforme, a droit à des formules beaucoup plus variées et plus suggestives : « Au seuil du bonheur, hommage de tendresse et d'admiration. »

D'autres formules sont plus imagées :

« Je meurs où je m'attache » ; « A l'étoile de ma vie » ; « A ma bien-aimée » ; « Pour la vie » ; « A la vie à la mort ».

Et même : *Je ne sais où va mon chemin,*
Mais je marche mieux quand ma main
Presse la tienne.

On s'étonne un peu de trouver dans un *Guide des convenances* ces formules dont le moins qu'on puisse dire est que leur valeur littéraire laisse à désirer... C'est que la guerre est passée par là et l'on recule moins, semble-t-il, devant une sentimentalité quelque peu soldatesque, que l'on aurait trouvée vulgaire dix ans plus tôt.

L'amour source des bonnes manières

Au-delà des modes et de l'infinie variété des conduites amoureuses, il demeure que l'amour se nourrit, à chaque époque, de ce que l'on considère comme gracieux, délicat et élégant... c'est-à-dire, en fin de compte, de bonnes manières !

Pour une femme timide et tendre, rien ne doit être au-dessus du supplice de s'être permis, en présence d'un homme, quelque chose dont elle croit devoir rougir ; je suis convaincu qu'une femme un peu fière préférerait mille morts... Pour une femme au-dessus du vulgaire, il y a donc tout à gagner à avoir des manières fort réservées. Le jeu n'est pas égal : on hasarde contre un petit plaisir ou contre l'avantage de paraître un peu plus aimable, le danger d'un remords cuisant et d'un sentiment de honte, qui doit rendre même l'amant moins cher. Une soirée passée gaiement, à l'étourdie et sans songer à rien, est chèrement payée à ce prix. La vue d'un amant avec lequel on craint d'avoir eu ce genre de torts, doit devenir odieuse pour plusieurs jours.

STENDHAL, *De l'Amour*, 1822

Liste des œuvres citées

ALQ (Louise d') : *Le Nouveau Savoir-vivre universel*, 1881.

ARIÈS (Philippe) : *L'Enfant et la Vie familiale sous l'Ancien Régime*, 1960.

BALZAC (Honoré de) : *L'Illustre Gaudissart*, 1832 ; *Le Contrat de Mariage*, 1834 ; *Splendeurs et Misères des Courtisanes*, 1843-1846.

BARY (René) : *L'Esprit de Cour ou les Conversations galantes*, 1662.

BASSANVILLE (Comtesse de) : *Code du Cérémonial, Guide des gens du monde dans toutes les circonstances de la vie*, 1867.

BEAUMARCHAIS : *Le Mariage de Figaro*, 1784.

BERNAGE (Berthe) : *Le Savoir-vivre et les Usages du monde*, 1928.

BRAY (René) : *La Préciosité et les Précieux*, 1948.

CABANÈS (Augustin) : *Mœurs intimes du passé*, 1929.

CALLIÈRES (François de) : *Des Mots à la mode et des nouvelles façons de parler*, 1692 ; *Du Bon et du Mauvais Usage dans les manières de s'exprimer. Des façons de parler bourgeoises et en quoy elles sont différentes de celles de la Cour*, 1693 ; *De la Science du monde et des connaissances utiles à la conduite de la vie*, 1717.

CALLIÈRES (Jacques de) : *Traité de la Fortune des gens de qualité et des gentilshommes particuliers*, 1658.

CELNART (Élizabeth) : *Manuel complet de la bonne compagnie ou Guide de la politesse et de la bienséance*, 1832.

Chanson de Roland, vers 1080.

CHANTAL (Jean Baptiste Joseph de) : *La Civilité des jeunes personnes*, 1859.

CHRÉTIEN DE TROYES : *Yvain, le Chevalier au Lion*, vers 1175.

CLÉMENT D'ALEXANDRIE : *Le Pédagogue*, entre 170 et 220 ap. J.-C.

COCTEAU (Jean) : *La Voix humaine*, 1930.

COURTIN (Antoine de) : *Nouveau Traité de la civilité qui se pratique en France parmi les honnêtes gens*, 1671 ; *Suite de la Civilité Française ou Traité du Point d'Honneur et des Règles pour converser et se conduire sagement avec les incivils et les fâcheux*, 1675.

DESRAT (Georges) : *Nouveau Traité complet des règles et usages du monde*, 1859.

DU PÉRIER (Charles) : *Courrier des affaires publiques, contenant plusieurs lettres utiles et pleines de termes choisis*, 1640.

DUPIN (Henri) : *La Courtoisie au Moyen Age*, 1931.

ÉLIAS (Norbert) : *La Civilisation des mœurs*, traduction française, 1973.

ÉRASME : *De civilitate morum puerilium*, 1530. Première traduction française en 1544 sous le titre *La Civilité puérile*.

FLAUBERT (Gustave) : *Madame Bovary*, 1856 ; *Dictionnaire des idées reçues*, publié pour la première fois en 1913, trente-trois ans après la mort de son auteur.

FURETIÈRE (Antoine) : *Le Roman Bourgeois*, 1666.

GANDOUIN (Jacques) : *Guide du protocole et des usages*, 1972.

GENCÉ (Comtesse de) : *La Correspondance des gens du monde*, 1871.

GIRAUDOUX (Jean) : *Tessa*, 1934.

GONCOURT (Edmond et Jules de) : *La Femme au XVIIIe siècle*, 1862.

JAUNIN (Claude) : *Compliments de la langue française, œuvre très utile et nécessaire à ceux qui sont à la Cour des Grands et qui font profession de hanter les compagnies*, 1630.

LA BRUYÈRE (Jean de) : *Les Caractères*, 1688-1696.

LAMBERT (Marquise de) : *Réflexions nouvelles sur les Femmes*, 1727 ; *Avis d'une Mère à sa Fille et à son Fils*, 1728.

LAMOUILLE (Madeleine) : *Pipes de terre et pipes de porcelaine*, 1978.

LA SALLE (Antoine de) : *Hystoire et plaisante cronique du petit Jehan de Saintré*, XVe siècle.

LA SALLE (Saint Jean-Baptiste de) : *Règles de la bienséance et de la civilité chrétiennes*, 1695.

LA SERRE (Jean Puget de) : *Le Secrétaire à la mode, ou Méthode facile d'écrire, selon le temps, diverses lettres de compliment, amoureuses et morales*, 1641.

LEGOUVÉ (Ernest) : *Les Pères et les Enfants au XIXe siècle*, 1869.

LINDON (Raymond) : *Guide du nouveau savoir-vivre*, 1971.

LISELOTTE : *Le Guide des convenances*, 1919.

MAGENDIE (Maurice) : *La Politesse mondaine et les théories de l'honnêteté en France au XVIIe siècle*, 1925.

MARIVAUX : *La Vie de Marianne*, 1731-1741.

MAUROIS (André) : *La Conversation*, 1927.

MÉRÉ (Chevalier de) : *De la Conversation*, 1677 ; *De la Vraie Honnêteté*, 1700 (publication posthume).

MOLIÈRE : *George Dandin*, 1668 ; *Le Bourgeois Gentilhomme*, 1670 ; *Les Femmes Savantes*, 1672 ; *Le Malade Imaginaire*, 1673.

MONTAIGNE : *Essais*, écrits de 1571 à 1592, publiés en 1580-95.

MULLER (Eugène) : *Petit Traité de la Politesse française, code des bienséances et du savoir-vivre*, 1865.

PEREC (Georges) : *L'Augmentation*, 1981.

PERSIGNY (Duc de) : *Mémoires*, 1896.

La Politesse Française, Principes de la bonne éducation, par un groupe de personnalités du monde, 1924.

PONTUS DE TYARD (évêque de Chalon) : auteur présumé de *Modèles de Phrases*, 1578 et de *Recueil de Lettres d'Amour*, 1589, publiés pour la première fois par J. Lapp, Univ. of N. C. Press, 1967.

PROUST (Marcel) : *Du côté de chez Swann*, 1917 ; *A l'ombre des jeunes filles en fleur*, 1919 ; *Le Côté de Guermantes*, 1921 ; *Sodome et Gomorrhe*, 1924 (publication posthume).
(Ces quatre titres font partie de *A la recherche du temps perdu*.)

PURE (Abbé de) : *La Précieuse ou Le Mystère de la Ruelle*, 1656.

QUENEAU (Raymond) : *Le Chiendent*, 1933 ; *Zazie dans le métro*, 1959.

REBOUX (Paul) : *Le Nouveau Savoir-vivre, ou l'Art de rédiger les lettres difficiles : lettres d'affaires, de politesse, de refus ou d'amour*, 1933.

RENART (Jean) : *Galeran de Bretagne*, XIIIᵉ siècle.

Roman de la Rose (Le), XIIIᵉ siècle.

ROSTAND (Edmond) : *Cyrano de Bergerac*, 1897.

SAINT-SIMON (Duc de) : *Mémoires* (couvrent les années 1691 à 1723 ; publication complète en 1830 seulement).

SCUDÉRY (Madeleine de) : *Le Grand Cyrus*, 1649-53.

SÉVIGNÉ (Marquise de) : *Lettres* (écrites de 1648 à 1696).

STAFFE (Baronne) : *Usages du Monde, Règles du savoir-vivre dans la société moderne*, 1889 ; *Indications pratiques pour réussir dans le Monde, dans la Vie*, 1906.

STENDHAL : *De l'Amour*, 1822.

SUÈS-DUCOMMUN (Madame) : *Manuel de la ménagère*, 1895.

TOCQUEVILLE (Alexis de) : *De la Démocratie en Amérique*, 1835-40.

TRAMAR (Comtesse de) : *L'Étiquette mondaine*, 1905.

Table des matières

Achevé d'imprimer en mars 1983
sur presse CAMERON,
dans les ateliers de la S.E.P.C.
à Saint-Amand-Montrond (Cher)

Dépôt légal : mars 1983.
Nº d'Édition : 4638. Nº d'Impression : 2837-1795.

Imprimé en France.